Redactie **Over Dieren**

de **Golden** retriever

Aanschaf, voeding, verzorging, opvoeding,
voortplanting, ziekte en nog veel meer

de Inhoud

Voorwoord

Het boek dat u momenteel in handen heeft, is geen uitgebreid handboek over de golden retriever. Wanneer we
alle informatie hadden verzameld over dit ras, zijn
geschiedenis en ontwikkeling, voeding, training,
gezondheid, ziekte en wat dies meer zij, was dit een
boek geworden van minstens vijfhonderd pagina's.

Wat we wel hebben gedaan, is basisinformatie bijeen-
brengen waarmee de (toekomstige) bezitter van een
golden retriever verantwoord met zijn of haar huisdier
om kan gaan. Het blijkt namelijk dat nog steeds té veel
mensen een huisdier aanschaffen zonder van tevoren te
beseffen waar ze aan beginnen.

Dit boek gaat daarom globaal in op de geschiedenis
van de golden retriever, de rasstandaard en voors en
tegens van aanschaf. Essentiële informatie over de
voeding, grondbeginselen van de opvoeding en een
inleiding in de voortplanting komen eveneens aan
de orde. Ten slotte wordt aandacht besteed aan de
(dagelijkse) verzorging, gezondheid en rasspecifieke
ziekten.

Op basis van deze gegevens kunt u een golden retriever
weloverwogen aanschaffen en verantwoord als huisdier
houden. Ons advies is echter om het niet alleen bij dit
boek te laten. Een welopgevoede en goed getrainde
hond is meer dan zomaar een hond. Investeer daarom
iets extra's in een puppytraining of gehoorzaamheidscursus. Ook zijn uitstekende boeken verkrijgbaar die
dieper op bepaalde aspecten ingaan dan in dit boek
mogelijk is.

Redactie Over Dieren

Foto's:

Rob Dekker, WMP, Freddy
Quackelbeen, Charles
Borgmans, familie Kuipers,
H. Broekhuizen,
M. Groeneveld, Y. Coot,
J. M. Kosse, E. Berkhout,
H. Vliem en Jos Stouthuyzen

Eerste druk 1999
Tweede herziene druk 2000
Derde herziene druk 2002
Vierde druk 2003
vijfde druk 2005

Welzo Media Productions ©
Postbus 26
9989 ZG Warffum
e-mail: info@overdieren.nl
www.overdieren.nl

ISBN 90-5821-017-0
NUR 431

Algemeen

De golden retriever heeft zijn grote populariteit vooral te danken aan zijn vriendelijke uiterlijk en prettige karakter.

Hoewel de meeste goldens tegenwoordig als gezelschapshond worden gehouden, blijft hun talent voor de jacht onmiskenbaar aanwezig. Bovendien heeft de golden retriever een sterke *will to please:* hij doet graag iets voor zijn baas. Die wil om te plezieren maakt dan ook dat u met een golden op diverse gebieden actief kunt zijn. Meer daarover leest u verderop in dit boek.

Familieleden
De golden retriever is één van zes retriever-rassen. De Engelse uitdrukking *to retrieve* betekent terugbrengen of apporteren en is afkomstig uit de jacht. Retrievers zijn honden voor na het schot: de jager schiet het wild en de hond moet het bij hem brengen. Omdat het vaak gaat om de jacht op watervogels (die boven het water worden afgeschoten) moeten retrievers ook uitstekend kunnen zwemmen. Naast de golden is de Labrador retriever het meest bekend. De andere leden van de retrieverfamilie zijn de flatcoated retriever, de curly coated retriever, de Chesapeake Bay retriever en de Nova Scotia duck tolling retriever.

Karakter
Elke hond is een individu. Toch hebben golden retrievers ook een rasspecifiek karakter. Dit karakter heeft alles te maken met hun oorspronkelijke bestemming als jachthond. De belangrijkste karaktereigenschap van een golden is zijn will to please: het is een werkhond die graag zijn energie kwijt wil. Als hij onvoldoende aandacht en beweging krijgt zal

hij proberen die energie in huis te uiten en wordt hij een onrustige, nerveuze hond. Een golden retriever die zijn enthousiasme op een goede manier mag gebruiken is vriendelijk en vrolijk. Hij kan waaks zijn, maar zal bezoek over het algemeen kwispelend begroeten. Ook tegenover soortgenoten is hij uiterst verdraagzaam. De meest favoriete bezigheden van een golden zijn speuren en apporteren. Hij heeft een uitstekende neus die hij graag gebruikt. Tot op hoge leeftijd blijft hij speels en zal geestdriftig alles terugbrengen wat u weggooit. Als u de stok of de bal dan ook nog eens in het water gooit, kan zijn dag helemaal niet meer stuk. Een golden retriever kan namelijk zwemmen als de beste. Zelden zal deze hond een sloot of vijver passeren zonder een duik te nemen!

Oorsprong

De golden retriever heeft zijn oorsprong in Schotland. Voor elk type jacht gebruikte men daar verschillende honden: terriërs jaagden op klein wild, voor groter wild werd de bloodhound ingezet. Door de ontwikkeling van meer nauwkeurige jachtgeweren kreeg men behoefte aan honden die het aangeschoten wild over grotere afstanden konden apporteren. Voor dit type jacht moest de hond niet agressief zijn, maar juist heel rustig op zijn post blijven. Hij moest een scherpe neus hebben, goed kunnen zwemmen

(dus bestand zijn tegen koud water) en het wild ongeschonden terugbrengen.
De gele flat- of wavycoated retrieverreu Nous wordt beschouwd als stamvader van het ras. Lord Tweedmouth kruiste deze reu in 1868 met de Tweed waterspaniël Belle. Dit ras (inmiddels uitgestorven) kon uitstekend apporteren. Met de pups van Nous en Belle werd verder gefokt. Ook werd nog een rode setter ingekruist. De eerste jaren werden de honden uit deze lijn nog ingeschreven onder de naam flat- of wavycoated retriever.
In 1913 werd voor hen een apart register opengesteld: dat van de retriever (golden of yellow).
In 1920 kregen deze honden de officiële benaming golden retriever. In 1956 werd de Golden Retriever Club Nederland opgericht. De Golden Retriever Club België volgde in 1996.

Rasstandaard

Van alle hondenrassen die door de F.C.I. (Federatie Cynologique Internationale) zijn erkend, is een standaard opgesteld. De F.C.I. is een vrijwel wereldwijde overkoepelende organisatie in de kynologie. De officieel erkende rasverenigingen van de aangesloten landen zorgen voor een vertaling. Zo'n standaard dient als leidraad voor fokkers en keurmeesters. Het is als het ware een ideaalbeeld waar de honden van het betreffende ras aan zouden

Apporteren zit de golden retriever in het bloed.

moeten voldoen. Bij sommige rassen worden honden gefokt die praktisch aan het ideaal beantwoorden. Andere rassen hebben nog een lange weg te gaan. Van elk ras is ook een lijst met rasfouten samengesteld. Dit kunnen zware uitsluitingsfouten zijn, waardoor een hond van de fok wordt uitgesloten. De toegestane fouten zijn niet bijzonder zwaar, maar kosten wel punten bij een keuring.

Rasstandaard van de golden retriever

Algemeen beeld: Moet zijn een evenredig gebouwde, levendige, krachtige hond met vaste gangen, die praktisch en goed in elkaar zit, met een vriendelijke uitdrukking.

Karaktereigenschappen: Gehoorzaam, intelligent en met een natuurlijke jachtaanleg.

Aard: Gemoedelijk, vriendelijk en vol zelfvertrouwen.

Hoofd en schedel: Het hoofd moet in balans zijn en fijn besneden met een brede, maar niet grove schedel; goed geplaatst op de hals, met een krachtige, brede en diepe snuit. De lengte van de voorsnuit dient gelijk te zijn aan de afstand tussen de duidelijke stop en de occiput (achterhoofds- of jachtknobbel). De neus dient zwart te zijn.

Ogen: Donkerbruin, goed uit elkaar geplaatst, met donkere oogranden.

Oren: Van matige grootte en geplaatst op gelijke hoogte met de ogen.

Gebit: Sterke kaken met een perfect, regelmatig en volledig schaargebit; dat wil zeggen dat de bovenste tanden net over de onderste tanden heen vallen en recht in de kaak staan.

Hals: Dient van een goede lengte te zijn, droog en gespierd.

Voorhand: Voorbenen recht met goed bone, schouders goed naar achteren liggend, schouderblad lang met even lange opperarm, waardoor de benen goed onder het lichaam geplaatst zijn. Ellebogen goed aansluitend.

Lichaam: Evenredig gebouwd, lendenen kort, diep in de hart- streek. Ribben diep en goed gewelfd. Rechte bovenbelijning.

Achterhand: Lendenen en achterbe-

nen sterk en gespierd, met goede schenkels en goed gebogen knie. Lage sprongen. Van achteren gezien moeten de benen recht zijn en niet naar binnen of naar buiten knikken. 'Koehakken' erg ongewenst.

Voeten: Ronde kattenvoeten.

Staart: Aangezet en gedragen op dezelfde hoogte als de rug en net lang genoeg om tot de hak te reiken, zonder krul aan het eind.

Gangwerk: Krachtig en stuwend. Recht en vlak zowel voor als achter. Van opzij gezien moet het gangwerk een lange, vrije pas vertonen zonder een spoor van steppen met de voorbenen.

Kleur: Elke tint van goud tot roomkleur, maar noch rood, noch mahonie. Enkele witte haren, op borst alleen, toegestaan.

Beharing: Vlak of golvend met goede bevedering en een dichte, waterbestendige ondervacht.

Hoogte: Schofthoogte reuen 56-61 cm, teven 51-56 cm.

Fouten: Elke afwijking van de hierboven genoemde punten moet als fout worden aangemerkt en per fout moet worden beoordeeld hoe ernstig deze is.

N.B.: Reuen moeten twee normale teelballen hebben, die volledig in het scrotum zijn ingedaald.

Aanschaf

**Wanneer u een welover-
wogen besluit heeft
genomen om een hond
aan te schaffen, zijn er
meerdere mogelijkheden.
Wordt het een pup, een
volwassen hond of een
wat oudere hond?**

Wordt het een teef of een reu,
een rashond of een kruising?
Natuurlijk rijst ook de vraag waar
u de hond gaat aanschaffen.
Bij een particulier of een betrouwbare fokker, of haalt u hem uit het
asiel? Voor u én voor het dier is
het belangrijk deze zaken van
tevoren goed op een rijtje te
zetten. U wilt immers een hond
die optimaal past bij uw
leefomstandigheden. Met een pup
kiest u voor een speelse, energieke
huisgenoot die zich gemakkelijk
aanpast aan een nieuwe omgeving.
Wanneer u het liever wat rustiger
heeft, is een oudere hond een
goede keus.

Voor- en nadelen van de
golden retriever
Een golden retriever is een lieve
gezinshond die vriendelijk is voor

kinderen en een aangenaam
karakter heeft. Het is echter ook
een hond die een consequente
opvoeding nodig heeft. Een onvoldoende opgevoede golden is een
overenthousiaste spring in 't veld
die veel moeite heeft met het
commando 'Hier!'. Honden van
dit ras hebben meer dan
gemiddelde beweging nodig.
Omdat het echte waterratten zijn,
zullen ze geregeld een nat pak
halen. Zoekt u een alerte waak-
hond, dan bent u bij een golden
retriever aan het verkeerde adres.

Reu of teef
De keus voor een mannetje of een
vrouwtje, ofwel een reu of een
teef, is heel persoonlijk. Een reu
heeft over het algemeen meer
leiding nodig, omdat hij wat
dominanter gedrag vertoont.

Dat wil zeggen dat hij probeert de baas te spelen over andere honden en, als hij de kans krijgt, ook over mensen. In de natuur is de meest dominante hond (of wolf) altijd de leider van de roedel (de groep waarin de dieren leven). In veel gevallen is dat een reu. Een teef is vaak meer op de baas gericht. Zij ziet hem namelijk als leider van de roedel.

Via een puppytest is goed te bepalen welk karakter een jonge hond ongeveer gaat krijgen. Tijdens zo'n test is al te zien dat een reu dominanter is dan een teef. Ook herkent u vaak meteen de bazige, de ondernemende en de voorzichtige types. Ga daarom al vroeg een paar keer bij het nest kijken. Probeer een pup te kiezen die bij uw eigen karakter past. Een dominante hond heeft bijvoorbeeld een strenge opvoeding nodig. Hij zal vaak proberen hoe ver hij kan gaan. U zult hem dus regelmatig duidelijk moeten maken dat u de baas bent en dat hij alle gezinsleden moet gehoorzamen.

Wanneer teefjes geslachtsrijp zijn, worden ze loops. De loopsheid vindt gemiddeld twee keer per jaar plaats en duurt ongeveer twee tot drie weken. Het is de vruchtbare periode, waarin een teef drachtig kan worden. Vooral in de tweede helft van de loopsheid zal ze op zoek gaan naar een reu. Dan kan ze ook gedekt worden.

Een reu laat meer mannetjesgedrag zien als hij geslachtsrijp is. Hij maakt andere honden duidelijk wat zijn territorium is door vaak en op zoveel mogelijk plaatsen te plassen. Ook is hij meestal moeilijk te houden met een loopse teef in de buurt. Wat de algemene verzorging betreft, is er weinig verschil tussen een reu en een teef.

Pup of volwassen hond

Na de keuze voor een reu of een teef komt de volgende vraag aan de orde: wordt het een pup of een volwassen hond? Bij deze vraag spelen vooral uw huiselijke omstandigheden een rol. In eerste instantie lijkt het natuurlijk geweldig om zo'n schattige pup in huis te hebben. Het opvoeden van een jonge hond kost echter veel tijd. In zijn eerste levensjaar leert hij meer dan in de rest van zijn leven. De basis voor elementaire zaken als zindelijkheid, gehoorzaamheid en sociaal gedrag wordt juist in deze periode gelegd. U moet er dan ook rekening mee houden dat u, zeker de eerste maanden, een paar uur per dag met de pup bezig bent. Deze tijd bent u niet kwijt aan een volwassen hond. Die is immers al opgevoed, wat overigens niet betekent dat hij geen correcties meer nodig heeft!

Een pup zal in de eerste maanden van zijn leven ongetwijfeld de nodige schade aanrichten. Met een beetje pech kost u dat een

aantal rollen behang, een paar goede schoenen en wat sokken. In het slechtste geval zit u met aangevreten meubilair. Sommige pups slagen er zelfs in de gordijnen van de rails te trekken. Bij een goede opvoeding verdwijnt dit 'vandalisme' weliswaar als sneeuw voor de zon, maar een volwassen hond hoeft u het niet meer af te leren. Het grootste voordeel van een pup is natuurlijk wel dat u hem helemaal zo kunt opvoeden als u zelf wilt. En de opvoeding die een hond (al of niet) krijgt, is nu eenmaal van invloed op zijn gehele wezen. Ten slotte kunnen ook de financiën een rol spelen bij uw keuze. Een pup is over het algemeen (veel) duurder dan een volwassen hond. Niet alleen in

aanschaf, maar ook in 'onderhoud'. Een pup moet nu eenmaal vaker naar de dierenarts voor de nodige inentingen en controles.

Samengevat kost het grootbrengen van een pup veel energie, tijd en geld. U kunt zijn opvoeding echter wel helemaal in eigen hand nemen. Een volwassen hond kost minder geld en inspanning, maar zijn karakter is al gevormd. Zorg overigens wel dat u iets aan de weet komt over de voorgeschiedenis van een volwassen hond: een vorige eigenaar kan het karakter ook op minder plezierige wijze gevormd hebben.

Twee honden

Twee of meer honden in huis is gezellig voor ons en ook voor de

dieren zelf. Honden kunnen veel plezier beleven aan elkaars gezelschap. Het zijn tenslotte van oorsprong roedeldieren. Wanneer u er zeker van bent dat u twee jonge honden wilt, kunt u ze beter niet tegelijkertijd aanschaffen. Zowel de opvoeding als het opbouwen van de band tussen hond en baas kost enige tijd. U moet in deze belangrijke periode veel tijd besteden aan de hond. Als u twee pups in huis neemt, moet u uw aandacht té veel verdelen. Bovendien bestaat de kans dat ze zich meer op elkaar gaan richten dan op hun baas. Schaf de tweede pup bij voorkeur pas aan als de eerste (bijna) volwassen is.

Twee volwassen honden kunt u tegelijkertijd in huis nemen, mits ze al aan elkaar gewend zijn. Als dat nog niet het geval is, zal dat eerst moeten gebeuren. Dat lukt het beste door de honden op neutraal terrein met elkaar kennis te laten maken. Zo voorkomt u dat een van hen het territorium gaat bewaken. Op neutraal terrein, bijvoorbeeld in de tuin van kennissen waar de honden niet eerder zijn geweest, zijn ze beide in principe gelijkwaardig. Vervolgens neemt u ze mee naar huis en zullen ze samen bepalen wat de rangorde is. Voorkom in ieder geval dat u zich mengt in een 'twistgesprek'. Dat is menselijk gedrag, maar voor de hond, die het hoogst in de rangorde staat, lijkt het alsof aan zijn positie wordt getornd.

Zodoende zal hij alleen maar dominanter gedrag gaan vertonen met alle nare gevolgen van dien. Wanneer de rangorde bepaald is, zullen de meeste honden uitstekend met elkaar overweg kunnen.

Wanneer u een pup aanschaft op het moment dat uw eerste hond al wat ouder is, heeft dat vaak een positief effect op de oudere hond. Onder invloed van de pup lijken ze vaak aan een tweede jeugd te beginnen. Daarnaast zal de oudste hond, mits zelf goed opgevoed, u helpen met de opvoeding van de pup. Jonge honden imiteren namelijk het gedrag van hun oudere soortgenoten. Vergeet niet beide honden evenveel aandacht te geven. Neem beide het eerste anderhalf jaar minstens eenmaal per dag apart mee uit. Geef de oudere hond wel voldoende gelegenheid om aan zijn rust toe te komen. Het valt voor hem lang niet altijd mee om zo'n jeugdige enthousiasteling bij te benen. Overigens moet een pup ook veel slapen en dus soms wat afgeremd worden.

De combinatie reu en teef verdient extra aandacht. Het is aan te bevelen een hond van hetzelfde geslacht erbij te nemen. Dit bespaart u veel problemen. Sterilisatie/castratie wordt wel eens als oplossing aangedragen, maar is wel een definitieve oplossing. Een gecastreerd of gesteriliseerd dier kan zich nooit meer voortplanten.

Hond en kinderen

Honden en kinderen gaan uitstekend samen. Ze kunnen met elkaar spelen en veel plezier aan elkaar beleven. Bovendien leren kinderen omgaan met levende wezens. Ze ontwikkelen verantwoordelijkheidsgevoel door de hond (of een ander huisdier) te verzorgen. Hoe leuk een hond ook is, kinderen moeten goed beseffen dat het een dier is en geen speeltje. Een hond voelt zich niet op zijn gemak als er met hem wordt gesold. Hij kan er angstig, schuw en zelfs agressief van worden. Leg dus duidelijk uit wat een hond wel en niet leuk vindt. Laat ook zien hoe het kind met de hond kan spelen. Denk bijvoorbeeld aan een zoekspelletje, waarbij het kind zich verstopt en de hond moet zoeken. Ook een simpele tennisbal kan voor veel speelplezier zorgen. Kinderen moeten leren de hond met rust te laten als hij aangeeft dat hij niet meer wil spelen. De hond moet dan ook een eigen plek hebben waar hij niet wordt gestoord. Laat de kinderen zo veel mogelijk meehelpen bij de verzorging. Zo ontstaat een hechte band.

De komst van een baby brengt ook verandering in het leven van de hond. Voor de geboorte kunt u de hond al laten wennen aan de nieuwe situatie. Laat hem even ruiken aan de nieuwe spullen die in huis worden gehaald. Hij zal ze dan al snel als vertrouwd beschouwen. Betrek hem, wanneer de baby er eenmaal is, zoveel mogelijk bij de dagelijkse bezigheden. Geef ook de hond voldoende aandacht.

Laat een hond **nooit** alleen met jonge kinderen! Kruipende kinderen kunnen onverwachte bewegingen maken waar de hond erg van kan schrikken. Peuters zijn reuze nieuwsgierig. Ze zullen proberen of de staart aan de hond vastzit en of zijn ogen er uit willen. Dat doen ze namelijk ook bij hun knuffel. Een hond is en blijft echter een hond: hij zal zich gaan verdedigen als hij zich bedreigd voelt.

Waar kopen

Er zijn verschillende manieren om aan een hond te komen. De keuze voor een volwassen hond of een pup bepaalt al voor een groot deel waar u de hond gaat aanschaffen.

Wordt het een pup, dan moet u op zoek naar een fokker met een nestje. Kiest u voor een populair ras, zoals de golden retriever, dan is er genoeg keus. Dit stelt u echter ook voor het probleem dat er veel pups in de handel zijn die uitsluitend uit winstbejag zijn gefokt. Hoe groot dat aanbod is, ziet u elke zaterdag in de advertentierubrieken van sommige landelijke dagbladen. Deze hondjes hebben soms wel, maar vaker niet een stamboom. Bij de fok wordt niet gelet op het voorkomen van rasspecifieke ziekten en inteelt. De pups worden zo snel mogelijk bij de moeder weg-

gehaald en niet voldoende gesocialiseerd. Koop dus nooit een pup die te jong is of waarvan u de moeder niet te zien krijgt.

In Nederland en België zijn gelukkig genoeg bonafide fokkers van golden retrievers. Bezoek bij voorkeur meerdere fokkers voordat u tot aanschaf overgaat. Informeer ook of de fokker bereid is u na aanschaf van een pup te blijven begeleiden en samen met u naar oplossingen te zoeken voor eventuele problemen.

Een fokker die zich verantwoordelijk voelt voor zijn ras zal nooit fokken met ouderdieren die aan erfelijke aandoeningen lijden. Fokkers die zijn aangesloten bij de rasvereniging worden geroyeerd als ze toch zulke fokdieren gebruiken. Er zijn echter ook veel fokkers niet aangesloten bij een vereniging. Zij hoeven zich dus niet te houden aan het fokreglement en kunnen in principe ook met niet gezonde ouderdieren fokken. Nu kan een betrouwbare fokker natuurlijk ook problemen krijgen met erfelijke aandoeningen binnen zijn populatie, maar wanneer hij te werk gaat volgens de richtlijnen van de rasvereniging is dat een waarborg voor een minimum aan risico's. Vooral bij de aanschaf van een zo populaire hond als de golden retriever kan niet genoeg worden benadrukt hoe belangrijk het is om (via de rasvereniging) contact te leggen met een goede, betrouwbare fokker!

Ten slotte moet u zich realiseren dat een stamboom niets meer of minder is dan een bewijs van afstamming. De Raad van Beheer op Kynologisch Gebied verstrekt ook stambomen aan nakomelingen van ouderdieren die lijden aan erfelijke aandoeningen, of daar nog nooit op zijn gecontroleerd. Een stamboom zegt dus niets over de gezondheid van de gebruikte fokdieren.

Wanneer u een volwassen hond wilt, kunt u het beste contact opnemen met de rasvereniging. Die bemiddelt vaak bij de herplaatsing van volwassen honden die wegens omstandigheden (impulsieve aanschaf, verhuizing, scheiding) niet meer door hun eigenaar gehouden kunnen worden.

Waarop letten?

De aanschaf van een pup is geen sinecure. De volgende zaken moet u in elk geval goed in het oog houden:
• Koop nooit impulsief een pup, ook al is het liefde op het eerste gezicht. Een hond is een levend wezen dat gedurende langere tijd veel zorg en aandacht nodig heeft. Het is geen stuk speelgoed dat u weg kunt doen als u erop uitgekeken bent.
• Bekijk de moederhond goed. Is ze rustig, nerveus, agressief, goed verzorgd of verwaarloosd? Het gedrag en de conditie van de moederhond zeggen niet alleen veel over de kwaliteit van de

fokker, maar ook over de pup die u wilt aanschaffen.

- Kies liever geen pup van een moederhond die uitsluitend in een kennel wordt gehouden. Een jonge hond moet in de eerste maanden van zijn leven zo veel mogelijk verschillende indrukken opdoen, waaronder het leven in gezinsverband. Hierdoor went hij aan mensen en eventuele andere huisdieren. Kennelhonden missen deze ervaringen en zullen onvoldoende gesocialiseerd raken.
- De moederhond mag maximaal vijf nesten hebben gehad. Ga dit na bij de fokker of de rasvereniging (de adresgegevens vindt u achterin dit boek).
- Vraag altijd naar de papieren van de ouderhonden (inentingsbewijzen, stambomen). Beide ouderdieren moeten geröntgend zijn op eventuele aanwezigheid van heupdysplasie. Ze dienen te beschikken over een officiële uitslag van het onderzoek, erkend door de Afdeling GGW van de Raad van Beheer op Kynologisch Gebied in Nederland of de Stichting Sint Hubertus. Ook moeten de ouderdieren beschikken over officiële uitslagen van het oogonderzoek, die niet ouder mogen zijn dan een jaar (zie het hoofdstuk *Gezondheid en ziekte*).
- Schaf geen pup aan die jonger is dan acht weken.
- Leg afspraken met de fokker schriftelijk vast. De rasvereniging heeft hiervoor een modelovereenkomst.

Tien gouden puppyregels

1. Laat uw pup gedoseerd uit: een uurtje spelen, eten, drie uur slapen.
2. Laat uw pup niet eindeloos achter een balletje of een stok aanrennen.
3. Laat uw pup niet met grote, zware honden ravotten.
4. Laat uw pup nooit spelen met een volle maag.
5. Geef de pup niet direct na de maaltijd te drinken.
6. Laat uw pup het eerste jaar geen trappen lopen; pas op met gladde vloeren.
7. Voeg geen supplementen toe aan kant-en-klare voeding.
8. Houd het gewicht van de pup in de gaten: overgewicht leidt vaak tot botafwijkingen.
9. Geef de pup een rustig plekje om te slapen.
10. Til de pup voorzichtig op: één hand onder de borst, één hand onder het kontje.

Op reis

Als u met uw hond wilt gaan reizen, is er een aantal dingen waar u op moet letten. Al was het maar dat de ene hond graag reist, terwijl de andere er beslist niet van houdt.

Wanneer u graag uw vakantie in verre oorden doorbrengt, is het dus nog maar de vraag of uw hond dat plezierig vindt.

De allereerste reis

De eerste reis van zijn leven is voor een pup meteen de meest enerverende: de reis van de fokker naar zijn nieuwe huis.
Haal de pup bij voorkeur 's ochtends vroeg op. Zo heeft hij volop de tijd om aan de situatie te wennen. Vraag de fokker de pup die dag niet te voeren. Het jonge dier wordt bedolven onder allerlei nieuwe indrukken: voor het eerst is hij niet bij zijn moeder, hij zit in een kleine ruimte (de auto) met daarin veel verschillende geuren, geluiden en onbekende mensen. De kans is dan ook groot dat de pup deze eerste keer wagenziek

wordt. Met als vervelende bijkomstigheid dat hij het reizen in een auto als onprettige ervaring zal onthouden.

Het is daarom zaak deze allereerste reis zo aangenaam mogelijk te maken. Neem iemand mee wanneer u de pup gaat ophalen. Uw gezelschap kan dan op de achterbank de pup op schoot nemen en kalmerend toespreken. Als de pup het daar te warm krijgt, is een plekje op de vloer aan de voeten van de begeleider ook heel geschikt. De pup ligt dan tijdens het rijden relatief stil en kan een dutje doen. Vraag de fokker om een doek of een ander voorwerp dat in het nest heeft gelegen en dus een vertrouwde geur heeft. De pup kan daar in de auto op liggen en de lap kan bovendien

goed van pas komen als hij zich de eerste nachten thuis eenzaam voelt.

Duurt de reis naar huis lang, dan is het verstandig (af en toe) te pauzeren. Laat de pup even lekker rondsnuffelen (aan de riem!), wat drinken en eventueel zijn behoefte doen. Leg wel uit voorzorg een oude handdoek in de auto. Het kan gebeuren dat de pup tijdens het rijden van de zenuwen een plasje doet of overgeeft.

Het is overigens aan te raden een pup zo snel mogelijk positieve ervaringen te laten opdoen met autorijden. Maak korte ritjes naar leuke plekjes, waar u met hem gaat spelen of wandelen. Het kan lastig zijn als uw hond niet van autorijden houdt. U zult immers van tijd tot tijd met hem naar bepaalde plaatsen, zoals de dierenarts of vrienden en kennissen, moeten.

Vakantie

Bij het maken van vakantieplannen moet u ook bedenken wat u in die periode met uw hond gaat doen. Gaat hij mee op vakantie, brengt u hem naar een pension of laat u hem thuis bij vrienden? In alle gevallen moet u een aantal zaken ruim op tijd regelen.

Wanneer u de hond mee wilt nemen, moet u van tevoren informeren of hij welkom is op uw vakantiebestemming en welke regels daar gelden. Voor een reis naar het buitenland zijn bepaalde inentingen en een gezondheidsverklaring verplicht. De inentingen moeten meestal vier weken voor vertrek worden toegediend.

Uw dierenarts kan u de meest recente informatie geven. Vraag ook om een middel tegen teken als Zuid-Europa uw reisbestemming is (meer hierover leest u in het hoofdstuk *Parasieten*).

Hoewel de baas het meestal wel leuk vindt om zijn hond mee op vakantie te nemen, moet u zich serieus afvragen of het dier dat ook zo ervaart. Goldens vinden het lang niet altijd aangenaam om naar een warm land te gaan. Een dagenlange autorit heeft vaak ook niet hun voorkeur. Sommige honden hebben veel last van wagenziekte. Hier bestaan weliswaar goede medicijnen voor, maar het is de vraag of u de hond er een plezier mee doet.

Besluit u hem toch mee te nemen, dan moet u onderweg regelmatig stoppen op een veilige plek. Het is belangrijk dat de hond af en toe even lekker kan rennen. Neem voldoende vers drinkwater en het vertrouwde voer mee. Laat uw hond niet alleen in de auto als de zon schijnt. Hij kan dan snel door de hitte bevangen raken, met alle nare gevolgen van dien. Als het echt niet anders kan, moet u de auto zo goed mogelijk in de schaduw zetten en een raampje openlaten voor wat frisse lucht. Ook al heeft u deze voorzorgsmaatregelen genomen: blijf niet lang weg! Wanneer u met het vliegtuig of de boot op vakantie gaat, moet u ruimschoots van tevoren informe-

ren of de hond mee mag en aan welke verplichtingen u moet voldoen. Zo houdt u voldoende tijd over om een en ander te regelen.

Het kan zijn dat u besluit om uw hond niet mee te nemen. In dat geval moet u zorgen voor opvang. Een plaats in een dierenpension moet u ruim op tijd bespreken. Ook voor een verblijf in een pension zijn bepaalde inentingen verplicht. Ze moeten minimaal een maand voor aankomst toegediend zijn.

Wanneer uw hond niet bij vrienden of familie in huis ondergebracht kan worden, is het misschien mogelijk een bekende in uw eigen huis te laten logeren. Ook in dit geval moet u mensen ruim op tijd vragen: het kan zijn dat u niet direct iemand vindt die op uw hond kan passen. Zorg er altijd voor dat uw hond gemakkelijk is op te sporen, mocht hij onverhoopt tijdens de vakantie weglopen of verdwalen. Een adreskokertje of penning (met zowel huisadres als vakantieadres) kan veel problemen voorkomen.

Verhuizing

Honden hechten zich over het algemeen meer aan mensen dan aan het huis waar ze wonen. Voor hen is een verhuizing dus meestal geen probleem. Wel kan het handig zijn de hond vóór de verhuizing al een keer kennis te laten maken met zijn nieuwe huis en de omgeving.

Laat de hond op de dag van de verhuizing bij voorkeur ergens anders logeren (familie, kennissen, dierenpension). De kans op weglopen of verdwalen is dan praktisch uitgesloten. Als de verhuizing achter de rug is, haalt u de hond op en laat hem rustig zijn nieuwe omgeving verkennen. Geef hem in huis meteen zijn eigen plekje. Hij zal zich snel aanpassen. Laat de hond de eerste tijd altijd aan de riem uit, want ook een dier kan verdwalen in een onbekende omgeving. Neem telkens een andere route, zodat hij de nieuwe buurt goed leert kennen.

Vergeet niet uw nieuwe adres en telefoonnummer in de hondenpenning te laten graveren. Stuur een adreswijziging aan de instantie die de gegevens van de chip bijhoudt. Honden moeten (net als mensen) bij de nieuwe gemeente worden aangemeld. U ontvangt dan een aanslag voor hondenbelasting. In veel gemeenten krijgt u een deel van de al betaalde belasting terug als u in de loop van het jaar verhuist. In België wordt geen hondenbelasting geheven.

Lekker rennen, graven en spelen op het strand is het leukste dat er is!

Voeding

**Een hond is eigenlijk meer
een alleseter dan een
vleeseter. In het wild eet hij
zijn prooi namelijk met huid
en haar op, dus ook de
botten, de maag en de
ingewanden met daarin
halfverteerd plantaardig
materiaal.**

Op die manier vult het dier zijn
vleesmenu aan met de nodige
vitaminen en mineralen. Dit is
ook de basis voor de voeding die
onze huishond nodig heeft.

Kant-en-klare voeding

Het is niet eenvoudig zelf een
complete voeding voor de hond
samen te stellen die alle benodigde eiwitten, vetten, vitaminen en
mineralen in de juiste hoeveelhe-
den en verhoudingen bevat.
Vlees alleen is beslist geen
complete maaltijd voor een hond.
Het bevat te weinig calcium.
Calciumgebrek leidt op den duur
tot botontkalking. Vooral bij snelgroeiende pups kan dit ernstige
misvormingen van het skelet tot
gevolg hebben. Wanneer u zelf de
voeding samenstelt, geeft u al
gauw te veel vitaminen en minera-

len. Ook dit kan schadelijk zijn
voor de gezondheid van uw hond.
U voorkomt dit soort problemen
door hem kant-en-klare voeding
van een goed merk te geven.
Deze produkten zijn uitgebalan-
ceerd en bevatten alles wat een
hond nodig heeft. Toevoegingen
(bijvoorbeeld vitaminepreparaten)
zijn overbodig. De hoeveelheid
voeding die uw hond nodig heeft,
hangt af van zijn gewicht en zijn
activiteit. Richtlijnen vindt u op
de verpakking.

Geef de voeding bij voorkeur
verdeeld over twee maaltijden
per dag. Zorg altijd voor een
bakje vers drinkwater bij het eten.
Geef de hond voldoende gelegenheid zijn voedsel rustig te
verteren. Laat hem dus niet direct
na het eten uit. Een hond mag ook

nooit spelen met een volle maag. Dat kan namelijk een maagtorsie (kanteling van de maag) veroorzaken, die de hond fataal kan worden. Omdat de voedingsbehoefte van een hond afhankelijk is van onder andere zijn leeftijd en leefwijze, zijn veel verschillende soorten hondenvoedsel verkrijgbaar. Zo is er light voeding voor minder actieve honden, energierijke voeding voor werk- of jachthonden en seniorvoeding voor de oudere hond.

Blikvoeding, diner of brokken

Kant-en-klare voeding die te koop is bij de dierenspeciaalzaak of in de supermarkt, is ruwweg te verdelen in blikvoeding, diner en brokken. Welke vorm u ook kiest, let er wel op dat het een complete voeding is waar alle benodigde voedingsstoffen inzitten. Dit staat op de verpakking.

De meeste honden zijn dol op blikvoeding. Hoewel op de samenstelling van de betere merken niets is aan te merken, heeft het toch een nadeel: het is zacht. Een hond die alleen maar blikvoeding eet, kan vroeg of laat problemen krijgen met zijn gebit (tandplak, wijkend tandvlees). Geef uw hond naast voeding uit blik dus op gezette tijden harde brokken of een kauwkluif!
Diner is een voeding die bestaat uit brokken, gedroogde groente en granen. Hier is vrijwel alle vocht aan onttrokken. Diner heeft als voordeel dat het licht van gewicht en lang houdbaar is. U voegt er een bepaalde hoeveelheid heet water aan toe en de maaltijd is klaar. Een nadeel van deze voeding is echter dat het beslist niet zonder water gegeten mag worden. Zonder extra vloeistof onttrekt diner namelijk het aanwezige vocht aan de maag, met alle ernstige gevolgen van dien. Slaagt uw hond erin de zak stiekem te bemachtigen en zich tegoed te doen aan de inhoud, dan moet u hem zo snel mogelijk veel laten drinken!

Aan droge brokken is ook water onttrokken, maar niet zoveel als aan het diner. Brokken hebben als voordeel dat ze hard zijn, waardoor de hond zijn gebit flink moet gebruiken. Tijdens het kauwen wordt het tandsteen verwijderd en het tandvlees gemasseerd.

Kauwprodukten

Het komt natuurlijk geregeld voor dat u uw hond wilt verwennen met een extraatje. Geef dan geen blokjes kaas of stukjes worst: die zijn te zout en te vet. Er zijn diverse produkten in de handel die een hond lekker vindt en die bovendien gezond zijn, ook voor zijn gebit. In de dierenspeciaalzaak vindt u een uitgebreid assortiment van diverse kwaliteiten.

Gerookte botten

In de dierenspeciaal-
zaak vindt u een uit-
gebreid assortiment
kauwartikelen.

Slachtafval

Botten van geslachte dieren zijn
van oudsher bestemd voor de
hond. Honden zijn er dan ook gek
op, maar er kleven wel gevaren
aan. Botten van varkens en pluim-
vee zijn te zwak. Ze kunnen ver-
splinteren en ernstige verwondin-
gen aan het darmkanaal veroorzaken. Runderbotten zijn geschikter,
maar die moeten wel vooraf
gekookt worden om schadelijke
bacteriën te doden.
Dierenspeciaalzaken hebben een
uitgebreid aanbod aan gerookt,
gekookt en gedroogd slachtafval
zoals varkensoren, bullenpezen,
pensstaafjes, runderstaarten, slok-

darmen, gedroogd spiervlees,
bokkenpoten en kauwhoeven.

Vers vlees

Mocht u uw hond toch af en toe
vers vlees willen geven, geef het
dan nooit rauw, maar altijd
gekookt of gebraden.
Vooral rauw (of niet gaar)
varkens- en kippenvlees kan
levensgevaarlijke bacteriën
bevatten. Kip kan besmet zijn met
de beruchte salmonellabacterie,
varkensvlees met de ziekte van
Aujeszky. Deze ziekte is niet te
behandelen en leidt binnen korte
tijd tot de dood van uw huisdier!

Koeien- en buffelhuid

Kauwkluiven worden voor het grootste deel gefabriceerd uit buffel- of koeienhuid. Van deze huid worden de kluiven geknoopt of geperst. Behalve aan kluiven kan de hond zich tegoed doen aan schoentjes, gedraaide staafjes, lolly's, balletjes en diverse andere vormpjes. Leuk voor het oog en voor de afwisseling.

Munchistaafjes

Munchistaafjes zijn groen-, geel-, rood- of bruingekleurde staafjes in verschillende diktes. Ze bestaan uit gemalen buffelhuid met een aantal onduidelijke toevoegingen. Honden vinden ze meestal erg lekker, omdat de staafjes gedoopt zijn in het bloed van geslachte dieren. Samenstelling en kwaliteit van deze tussendoortjes zijn echter niet altijd duidelijk. Sommige zijn prima, maar er zijn ook staafjes aangetroffen met een hoog gehalte aan karton en zelfs verfresten. Kies dus bij voorkeur een produkt waarvan de samenstelling bekend is.

Overgewicht

Uit recent onderzoek blijkt dat veel Nederlandse honden te dik zijn. Een hond wordt meestal te dik omdat hij te veel eet en te weinig beweegt. Zelden is de oorzaak medicijngebruik of een ziekte. Honden die te dik zijn, krijgen vaak te veel voeding of tussendoortjes. Ook kan sprake zijn van gulzigheid of verveling.

Een hond kan ook na castratie of sterilisatie dikker worden. Omdat de hormoonhuishouding verandert, wordt hij minder actief en verbruikt niet meer zo veel energie. Ten slotte kan ook te weinig lichaamsbeweging leiden tot overgewicht.

U kunt de volgende vuistregel aanhouden om te bepalen of uw hond te dik is: zijn ribben moeten wel te voelen, maar niet te zien zijn. Als u zijn ribben niet meer kunt voelen, is hij duidelijk te dik. Honden met overgewicht leiden een passief leven. Ze spelen en rennen veel minder en zijn sneller moe. Bovendien krijgen ze eerder last van allerlei ziekten (gewrichtsproblemen, hartaandoeningen). Meestal worden ze ook minder oud.

Het is dus belangrijk te voorkomen dat uw hond te dik wordt. Volg altijd de richtlijnen op de verpakking van de voeding. Pas die aan als uw hond weinig actief is of veel tussendoortjes krijgt. Probeer ook uw hond voldoende te laten bewegen door veel met hem te spelen en te rennen. Wanneer uw hond aanleg heeft om dik te worden, kunt u hem een caloriearme voeding geven. Als uw hond écht te dik is en aanpassing van de hoeveelheid voeding niet helpt, is een speciaal vermageringsdieet de oplossing.

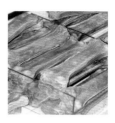

Kauwkluiven van buffel- of koeien-huid

Munchistaafjes

Verzorging

Een goede (dagelijkse) verzorging is voor uw hond van groot belang. Een goed verzorgde hond loopt nu eenmaal minder kans om ziek te worden.

Verzorgen is echter niet alleen een noodzakelijke bezigheid, maar ook plezierig: baas en hond hebben even alle aandacht voor elkaar. Bovendien is dit bij uitstek het moment voor een spelletje en een knuffel.

Vacht

Een goede vachtverzorging bestaat uit regelmatig borstelen of kammen en een controle op ongedierte (vlooien). Hoe vaak een hond geborsteld of gekamd moet worden, hangt af van de lengte van de vacht. Het is zinvol uw golden retriever eenmaal per week te borstelen. Als hij in de rui is moet u dat zelfs elke dag doen. Zo voorkomt u klitten in de vacht. Gebruik voor de vachtverzorging het juiste materiaal. Kammen mogen niet te scherp zijn.

Kies een borstel van rubber of natuurhaar. Borstel of kam altijd van kop naar staart, met de richting van de haren mee.

Wanneer u een pup al op jonge leeftijd aan het borstelen went, zal hij de vachtverzorging vanzelf prettig gaan vinden. Doe een hond pas in bad als het echt nodig is. Gebruik altijd een speciale hondenshampoo. Zorg ervoor dat de shampoo niet in de ogen of de oren komt en spoel het schuim goed uit. Voor sommige huidaandoeningen kan de dierenarts een medicinale shampoo voorschrijven. Volg altijd de gebruiksaanwijzing op!

Een goede vlooienbestrijding is van groot belang om huid- en vachtproblemen te voorkomen.

U moet de vlooien niet alleen op de hond zelf bestrijden, maar ook in zijn omgeving (zie het hoofdstuk *Parasieten*). Vachtproblemen kunnen ook ontstaan door een allergie voor bepaalde voedingsstoffen. In die gevallen kan de dierenarts een hypoallergeen dieet voorschrijven.

Gebit

Een hond moet goed kunnen eten om in goede conditie te blijven. Daar heeft hij een gezond gebit voor nodig. Controleer dus geregeld zijn tanden en kiezen. Wanneer u het idee heeft dat er iets aan de hand is, neem dan contact op met uw dierenarts.

Het regelmatig eten van harde brokken kan bijdragen aan schone, gezonde tanden. Er zijn speciale kauwkluiven te koop die tandsteen helpen voorkomen en zorgen voor een frisse adem. Wat nog het allerbest helpt, is regelmatig tandenpoetsen. Hiervoor kunt u een speciale hondentandenborstel gebruiken, maar het kan ook met uw vinger gewikkeld in een gaasje. Wen een hond al op jonge leeftijd aan het poetsen, dan gaat het zeker goed. Ook een oudere hond kunt u het tandenpoetsen nog wel aanleren. Met een kauwkluif als beloning zal hij zeker tevreden zijn.

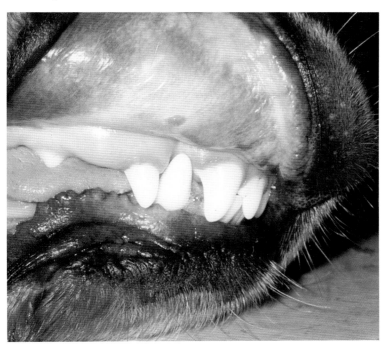

Nagels

Bij een hond die geregeld op een harde ondergrond loopt, slijten de nagels meestal vanzelf af. In zo'n geval is het niet nodig om de nagels te knippen. Toch kan het geen kwaad op gezette tijden de lengte te controleren. Zeker bij honden die weinig op straat komen. Met behulp van een stukje papier kunt u eenvoudig zien of de nagels niet te lang zijn. Wanneer u het papiertje tussen de ondergrond en de nagel van de (staande) hond kunt schuiven, heeft de nagel de juiste lengte.

Nagels die te lang zijn, kunnen de hond hinderen. Hij kan zich er tijdens het krabben zelfs mee verwonden. Ze moeten dus worden geknipt. Dit kunt u doen met een speciale nagelschaar, die in de dierenspeciaalzaak te koop is. U moet goed opletten dat u de nagel niet te ver afknipt, want anders raakt u het leven van de nagel. Dit kan vervelend bloeden. Voelt u zich onzeker, dan kunt u deze noodzakelijke handeling door dierenarts of trimsalon laten uitvoeren.

Ogen

De ogen van een hond moeten elke dag worden schoongemaakt. In de ooghoeken kunnen namelijk 'slaapjes' en klontjes opgedroogd oogvocht zitten. U kunt die eenvoudig verwijderen met een neergaande beweging van uw duim. Als u dat vies vindt, kunt u een stukje wc-papier of een tissue gebruiken.

Het schoonhouden van de ogen kost maar een paar seconden per dag. Sla het dus niet over! Wanneer de slaapjes geel en slijmerig zijn, wijst dat meestal op hevige irritatie of een ontsteking. Oogdruppels (verkrijgbaar bij de dierenarts) lossen dit probleem vaak snel op. Aandoeningen aan het derde ooglid moeten operatief worden gecorrigeerd.

Oren

Bij het verzorgen van de hond worden zijn oren vaak vergeten. Toch moeten ze minstens een keer per week worden nagekeken. Zijn de oren erg vies of bevatten ze veel oorsmeer, dan moet u ze schoonmaken. Doe dit bij voorkeur met een schoon, katoenen doekje, natgemaakt met lauw water of babyolie. Gebruik vanwege het pluizen liever geen watten. Ga nooit met een voorwerp in de gehoorgang!

Wanneer u het schoonhouden van de oren achterwege laat, bestaat de kans op oorontsteking. Een hond die vaak aan zijn oren krabt, kan last hebben van vieze oren, oorontsteking of oormijt. Een bezoek aan de dierenarts is dan noodzakelijk.

Opvoeding

Het is erg belangrijk dat uw hond goed is opgevoed en goed luistert. U zult dan niet alleen zelf meer plezier met hem hebben, ook voor uw omgeving is het prettiger.

Dit geldt ook voor een golden retriever, al staat hij bekend om zijn prettige en probleemloze karakter! Een pup kan spelenderwijs leren wat wel en niet mag. Belonen en consequent zijn vormen belangrijke hulpmiddelen bij de opvoeding. Als u hem telkens voor goed gedrag beloont met uw stem, een aai of iets lekkers, zal hij snel leren gehoorzamen. Een puppycursus kan u hierbij op weg helpen.

(On)gehoorzaamheid

Een hond die niet luistert is niet alleen lastig voor u, maar ook voor uw omgeving. Het is dus belangrijk om ongewenst gedrag te voorkomen. Dat is in feite waar het bij het opvoeden van de hond om gaat. Daarom kunt u er het best zo vroeg mogelijk mee beginnen: jong geleerd is nog altijd oud gedaan!

Een onopgevoede hond is niet alleen vervelend, maar kan ook voor gevaarlijke situaties zorgen: zomaar de straat oprennen, altijd achter trimmers aanjagen of tegen iedereen opspringen. De hond zal dit ongewenste gedrag moeten afleren, en wel zo snel mogelijk. Hoe langer u het laat voortduren, des te moeilijker het wordt om het gedrag te corrigeren. U kunt hiervoor het best naar een speciale gehoorzaamheidscursus gaan. Hier wordt niet alleen het gedrag van de hond bijgestuurd, maar leert de eigenaar ook hoe hij of zij het ongewenste gedrag thuis kan aanpakken. De hond moet tenslotte zijn baas niet alleen op de training, maar ook thuis gehoorzamen. Bij het aanleren van gewenst gedrag en het afleren van vervelende gewoontes moet u altijd consequent zijn. Dat wil zeggen dat de hond iets altijd wél mag of dat hij het nooit mag. Beloon hem steeds voor goed gedrag en straf hem nooit achteraf. Als uw hond bijvoorbeeld na lang roepen eindelijk komt, beloon hem dan toch. Wordt u boos omdat u zo lang moest wachten, dan denkt hij dat u hem straft voor het komen. Waarschijnlijk luistert hij de volgende keer helemaal niet meer, uit angst voor nog meer straf. Probeer ongewenst gedrag zo veel mogelijk te negeren. Uw hond ziet uw reactie (ook een negatieve!) namelijk als een beloning voor dit gedrag. Als u de hond toch moet corrigeren, doe dit dan direct. Gebruik uw stem of pak hem in zijn nekvel en duw hem op de grond. Dat is de manier waarop een moederhond haar pups tot de orde roept. Belonen van goed gedrag verdient echter altijd de voorkeur boven straffen: het geeft uiteindelijk een beter resultaat.

Zindelijkheid

De allereerste training (en een van de belangrijkste) waar een hond mee te maken krijgt, is de zindelijkheidstraining. De basis voor het zindelijk maken is het in de gaten houden van uw pup. Wanneer u goed oplet, zult u zien dat hij meestal langdurig snuffelt of rondjes draait op dezelfde plek,

voordat hij een plas doet. Til hem dan rustig op en zet hem buiten of op een krant. Beloon hem uitbundig als hij daar zijn behoefte doet. Een ander geschikt moment voor het zindelijk maken is net na het eten of het slapen. Op die momenten zal de pup vaak iets (moeten) doen. Laat hem altijd eerst zijn behoefte doen voordat u met hem gaat spelen. Anders vergeet hij te plassen en bereikt u uw doel niet. De eerste dagen kunt u het best telkens na het slapen en eten even met de pup naar buiten gaan. Zo leert hij snel wat de bedoeling is, zeker als hij na een geslaagde poging wordt beloond met een brokje.

Soms is het niet mogelijk om na elk hapje of dutje naar buiten te gaan. Leg dan kranten op verschillende plaatsen in huis. Wanneer de pup moet plassen, zet u hem op een krant. Na verloop van tijd zal hij zelf op zoek gaan naar een plekje waar hij kan plassen. Dan is het moment aangebroken om het aantal kranten te verminderen. Uiteindelijk is er nog maar één krant over. Leg die bij de voor- of achterdeur. De pup zal nu naar de deur moeten als hij zijn behoefte wil doen. Daar lijnt u hem aan en gaat met hem naar buiten. Ten slotte haalt u ook de laatste krant weg: uw pup is nu zindelijk.

Wat beslist niét werkt, is het achteraf straffen voor een

'ongelukje'. Een hondje dat met zijn neus door ontlasting of urine wordt gehaald, begrijpt daar helemaal niets van. Hij zal alleen maar bang voor u worden. Belonen werkt ook hier veel beter dan straffen. Een kamerkennel (bench) kan een goed hulpmiddel zijn bij de zindelijkheidstraining. Een pup zal zijn eigen plek namelijk niet snel bevuilen. Daarom kan de bench een uitkomst zijn voor de nacht of als u overdag een poosje niet op de pup kunt letten. Een kamerkennel mag echter geen gevangenis worden waar de pup dag en nacht in moet zitten!

Eerste oefeningen

De basisbevelen voor een goede gehoorzaamheid zijn *zitten, liggen, komen* en *blijven*. Het *zitten* kunt u de pup aanleren door een brokje boven zijn neus te houden en dat vervolgens langzaam naar achteren te bewegen. De kop van de pup gaat ook naar achteren, tot hij uiteindelijk door zijn knieën gaat. Op dat moment zegt u: 'Zit!'. Na een paar keer zal hij dit leuke spelletje begrijpen. Het commando *zit* kunt u goed gebruiken voordat u de hond eten geeft, zijn riem aandoet of voordat hij de straat mag oversteken.

Het aanleren van het commando *lig* gaat ongeveer hetzelfde. Beweeg nu het brokje niet naar boven, maar loodrecht naar beneden tot uw hand de grond

raakt en vervolgens naar voren. De hond zal zijn voorpoten ook naar voren doen en vanzelf gaan liggen. Dan zegt u: 'Af!'. Het *liggen* is vooral handig als de hond rustig moet zijn.

Voor de oefening *komen* zijn twee personen nodig. De een houdt de hond vast, terwijl de ander wegrent. Na ongeveer vijftien meter stopt hij en roept enthousiast: 'Kom hier!' Nu laat de ander de hond los. Die zal meteen het commando opvolgen. Ook nu beloont u hem natuurlijk weer. Het commando *komen* is nuttig en veilig in allerlei situaties.

De hond leert *blijven* vanuit de zit- of ligpositie. Wanneer hij zit of ligt, geeft u het commando: 'Blijf!'. Dan doet u een stapje achteruit. Als de hond achter u aan komt, legt u hem weer rustig terug op zijn plaats, zonder boos te worden. Wanneer u wel boos wordt, corrigeert u hem in feite voor het *komen*; dat schept alleen maar verwarring voor de hond. Hij begrijpt niet dat *komen* in het ene geval wordt beloond, maar in het andere bestraft. Als de hond netjes blijft liggen, beloont u hem uitbundig. Doe deze oefening met oplopende afstand tussen uzelf en de hond (in het begin niet meer dan een meter). Het commando *blijven* is handig bij het uitstappen uit de auto.

Cursussen

Er worden in heel Nederland gehoorzaamheidscursussen gegeven om u een handje te helpen bij het opvoeden van uw hond. Deze cursussen zijn niet alleen leerzaam, maar ook leuk voor baas én hond. Als u een pup heeft, kunt u beginnen met een puppycursus. Die is vooral bedoeld om de basisopvoeding goed ter hand te nemen. Een pup die zo'n cursus heeft gevolgd, heeft kennisgemaakt met allerlei zaken die hij in zijn latere leven zal tegenkomen: andere honden, mensen, verkeer en wat dies meer zij. Ook leert de pup gehoorzamen en een aantal basiscommando's op te volgen. Daarnaast wordt de nodige aandacht besteed aan belangrijke zaken als borstelen, alleen zijn, autorijden en het doen van de behoefte op plaatsen waar dat mag.

Het vervolg op de puppycursus is de cursus voor jonge honden, ook wel pubercursus genoemd. Deze cursus herhaalt de basisoefeningen en zorgt ervoor dat een opgroeiende hond geen ongewenst gedrag aanleert. Na de pubercursus kan de hond doorstromen naar een gehoorzaamheidscursus voor volwassen honden.

Voor meer informatie over de diverse cursussen bij u in de buurt kunt u contact opnemen met de plaatselijke kynologenclub. U kunt het adres opvragen bij de Raad van Beheer op Kynologisch Gebied in Amsterdam.

De Dierenbescherming organiseert eveneens gehoorzaamheidscursussen voor honden. Uw plaatselijke afdeling kan u hierover nader informeren.

Spelen en speelgoed

Er zijn verschillende manieren om met uw hond te spelen. U kunt met hem stoeien of rennen, maar ook een aantal spelletjes met hem doen. Voorbeelden hiervan zijn apporteren, sjorren, zoeken en vangen. Voor het apporteren is een tennisbal heel geschikt. Sjorren kunt u doen met een oude sok of een speciaal sjortouw. Ga pas met uw hond sjorren als hij één jaar oud is. Een pup moet eerst wisselen en daarna moet zijn gebit nog enkele maanden de tijd krijgen om stevig te worden. Begint u te vroeg, dan bestaat er kans op gebitsafwijkingen! Voor het zoeken kunt u van alles gebruiken. Vangspelletjes gaan heel goed met een frisbee. Gebruik voor een spelletje nooit een té kleine bal: die kan in de keel van de hond schieten.

Spelen is uitermate belangrijk. Het versterkt niet alleen de band tussen baas en hond, maar is ook gezond voor allebei. Zorg er wel voor dat ú degene bent die een eind maakt aan het spel. Houd dus pas op als de hond de bal of de frisbee heeft teruggebracht en wees altijd de winnaar van een sjorspelletje. Zo bevestigt u telkens weer uw dominante positie binnen de rangorde. Gebruik het speelgoed alleen tijdens het spel, zodat de hond zijn belangstelling ervoor niet verliest. Als u kiest voor speciaal hondenspeelgoed, houd er dan rekening mee dat honden niet voorzichtig zijn. Koop dus altijd speelgoed van goede kwaliteit, dat de hond niet gemakkelijk kapot kan bijten.

Wees erg voorzichtig met stokken en takken. Vooral takken kunnen gemakkelijk splinteren. Een stukje hout dat in de keel of de slokdarm van uw hond terechtkomt, kan veel ellende veroorzaken. Het gooien met stokken of takken kan ook gevaarlijk zijn. Als die met de punt in de grond belanden, kan uw hond er met geopende bek inlopen. Wanneer u meer wilt doen dan zo maar een spelletje, kunt u tegenwoordig ook met uw hond gaan sporten. Voor mensen die het leuk vinden om verder te gaan zijn er verschillende sportieve mogelijkheden zoals flyball, behendigheid en obedience.

Agressie

Golden retrievers zijn normaal gesproken vrijwel nooit agressief. Toch kan het gebeuren dat ook zij minder aardig zijn tegenover andere dieren of mensen. Daarom is het goed iets meer te weten over de achtergronden van agressie bij honden.

Er zijn twee hoofdvormen van agressief gedrag te onderscheiden: de angstig-agressieve hond en de dominant-agressieve hond. Een angstig-agressieve hond is te herkennen aan de naar achteren gerichte oren en de omlaag gehouden staart. Ook heeft hij zijn lippen opgetrokken, zodat alle tanden en kiezen zichtbaar zijn. Deze hond is agressief omdat hij heel bang is en zich in het nauw gedreven voelt. Het liefst gaat hij ervandoor, maar als dat niet lukt bijt hij uit angst van zich af.

Hij zal zijn slachtoffer grijpen waar hij maar kan. De aanval is meestal van korte duur. Zodra de hond een uitweg ziet, maakt hij zich uit de voeten. In een confrontatie met andere honden is hij meestal de verliezer. Zijn agressie kan toenemen als hij ziet dat een ander dier of een mens bang voor hem is. Dit gedrag is niet een, twee, drie te corrigeren. Allereerst moet de oorzaak van de angst bij de hond worden vastgesteld. Het is aan te raden hierbij professioneel advies in te winnen. Een verkeerde aanpak kan het probleem namelijk verergeren.

Een dominant-agressieve hond heeft een heel andere lichaamstaal. De oren staan overeind en de staart is bewegingloos omhoog gericht. Deze hond zal uitsluitend naar de armen, benen of hals van zijn slachtoffer bijten. Hij is heel zelfverzekerd en hooggeplaatst in de hondenwereld. De aanval is dan ook een machtsvertoon en geen gevolg van angst. Zo'n hond zal goed moeten weten wie de baas is. U moet hem consequent en met strakke hand opvoeden. Een gehoorzaamheidscursus kan hierbij helpen.

Een hond kan ook van zich afbijten omdat hij pijn heeft, dat is een natuurlijke afweerreactie. Probeer in dat geval de angst van de hond zo veel mogelijk weg te nemen. Beloon hem als hij toelaat dat u aan de pijnlijke plek komt. Doe dit wel voorzichtig, want een bange hond die pijn heeft zal ook zijn baas bijten! Een bandje om de bek kan problemen voorkomen als u een vervelende handeling moet verrichten. Straf de hond nooit voor dit soort agressie!

Angst

De oorsprong van angstig gedrag ligt vaak in de eerste levensweken van de hond. Een gebrek aan nieuwe ervaringen in deze belangrijke periode (ook wel socialisatiefase genoemd) heeft grote invloed op het latere gedrag. Zo zal een hond die in de socialisatiefase nooit mensen, soortgenoten of andere dieren ziet, daar later bang voor zijn. Deze angst komt wel voor bij honden die in een schuur of kennel zijn opgegroeid, vrijwel zonder contact met mensen. Zoals gezegd kan angst leiden tot agressief gedrag. Daarom is het erg belangrijk dat een pup in zijn eerste levensweken zo veel mogelijk

indrukken opdoet. Neem hem in de auto of de bus mee naar de stad, ga met hem wandelen in een drukke straat en laat hem veel in contact komen met mensen, soortgenoten en andere (huis)dieren.

Het is een hele opgave om van een bange, slecht gesocialiseerde hond een echte huishond te maken. Waarschijnlijk zal het veel aandacht, liefde, geduld en energie kosten om de hond aan van alles te laten wennen. Beloon hem vaak en geef hem rustig de tijd zich aan te passen. Op den duur zal hij u gaan vertrouwen en minder angstig worden. Probeer niets te forceren, want dat werkt altijd averechts. Ook in dit geval kan een gehoorzaamheidscursus een goede hulp zijn.

Een hond kan vooral bang zijn voor vreemden. Laat mensen die bij u op bezoek komen hem dan eens wat lekkers geven. Zet desnoods een trommeltje met brokjes in de gang, zodat visite de hond bij binnenkomst meteen kan verwennen. Hierbij geldt eveneens dat u niets moet forceren. Als de hond bang blijft, kunt u hem beter met rust laten.

Honden zijn vaak bang in bepaalde situaties. Bekende voorbeelden zijn onweer en vuurwerk. In deze gevallen moet u het angstige gedrag zoveel mogelijk negeren. Als u reageert op het gepiep en gejank van de hond, beloont u als

het ware dit gedrag. Wanneer u helemaal geen aandacht besteedt aan zijn angst, zal de hond snel in de gaten krijgen dat er eigenlijk niks aan de hand is. Dit 'leerproces' kunt u versnellen door hem tegelijkertijd te belonen voor gewenst gedrag.

Beloning

Beloning vormt de basis van het opvoeden van een hond. Het belonen van gewenst gedrag werkt veel beter dan het afstraffen van ongewenst gedrag. Bovendien is belonen leuker dan straffen! In de loop der tijd zijn de inzichten over de opvoeding van een hond langzamerhand veranderd. Vroeger werd hij bij ongewenst gedrag meestal gecorrigeerd door een ruk aan de riem. Tegenwoordig zien

deskundigen meer in beloning als positieve prikkel om honden te laten doen wat wij van ze willen.

U kunt een hond op verschillende manieren belonen. De meest gebruikte manier is een aai of een vriendelijk woord, al dan niet in combinatie met iets lekkers. Zeker tijdens de opvoeding van een pup doet het belonen met een brokje wonderen. Zorg dan ook dat u altijd iets lekkers op zak hebt om hem te belonen voor goed gedrag.

Een andere vorm van beloning is het spelen. Een hond is dol op spelletjes. Wanneer hij in de gaten heeft dat er een balletje in uw jaszak zit, zal hij niet van uw zijde wijken. Stop de bal direct na het spelen weg. De hond zal op die

manier steeds zijn best willen doen in ruil voor een spelletje. Ondanks de nadruk die u legt op het belonen van goed gedrag, kan de hond soms toch lastig zijn of niet luisteren. Dan moet u hem wel degelijk corrigeren. Wees hierbij in elk geval consequent: één keer nee moet altijd nee zijn.

Blaffen

Honden die te veel en te vaak blaffen zijn hinderlijk voor hun omgeving. De eigenaar zal het geblaf tot op zekere hoogte nog wel accepteren, maar buren stellen deze onnodige geluidsoverlast niet op prijs. Het geblaf en gekef van uw pup moet u dan ook niet aanmoedigen. Natuurlijk mag hij best even zijn aanwezigheid kenbaar maken, maar als het geblaf aanhoudt, moet u hem met een streng 'Foei!' tot de orde roepen. Als de pup niet luistert, mag u gerust even met uw hand zijn bekje dichthouden.

Het komt ook voor dat een hond langdurig blaft als hij alleen gelaten wordt. Dan voelt hij zich bedreigd en probeert met zijn geblaf iemands aandacht te trekken. Er bestaan speciale trainingsprogramma's voor dit probleem, die de hond leren dat alleen zijn niet eng is en dat zijn baas altijd terugkomt.

U kunt als volgt met uw hond oefenen: ga eerst even de kamer uit en kom meteen terug. Beloon de hond als hij stil blijft. Voer de duur van uw afwezigheid langzaam op en blijf hem belonen als het goed gaat. Straf de hond in geen geval als hij wél van zich heeft laten horen. Straf achteraf begrijpt hij immers niet en zal het probleem alleen maar verergeren. Kom in elk geval nooit binnen terwijl de hond het ongewenste gedrag vertoont, want dit ziet hij als een beloning.

U kunt de hond op zijn gemak stellen door tijdens uw afwezigheid de radio aan te zetten voor wat gezelschap. Uiteindelijk zal hij begrijpen dat u altijd terugkomt en zal het blaffen minder worden. Mocht dit onvoldoende resultaat opleveren, ga dan met de hond naar een gehoorzaamheidscursus.

Voortplanting

Honden, en dus ook golden retrievers, volgen hun natuurlijke instincten. En de voortplanting is een belangrijk onderdeel van de natuur.

Voor mensen die graag met honden fokken is dit een prettige bijkomstigheid. Wie alleen maar een gezellige huisgenoot wil, kan de regelmatig terugkerende perikelen met loopse vrouwtjes en onhoudbare mannetjes missen als kiespijn. Toch is het goed iets meer te weten over de voortplanting van honden, zodat u begrijpt waarom ze zich gedragen zoals ze doen en welke maatregelen u (desgewenst) moet treffen.

Aansprakelijkheid

Fokken met uw hond is veel meer dan de simpele optelsom 1 + 1 = veel. Wanneer u wilt gaan fokken met uw golden retriever, moet u goed op uw tellen passen, anders kan de hele zaak wel eens op een financieel drama uitlopen. Volgens het nieuw Nederlands Burgerlijk Wetboek is een fokker namelijk aansprakelijk voor de 'kwaliteit' van de pups.

De rasvereniging stelt hoge eisen aan de ouderdieren waarmee wordt gefokt. Ze moeten gecontroleerd zijn op bepaalde erfelijke afwijkingen (zie het hoofdstuk *Gezondheid en ziekte*). Hiermee voldoet een fokker aan de eerste vereisten van zorgvuldigheid. Wanneer u zonder deze controles een nestje fokt en de pups verkoopt, kunt u door de nieuwe eigenaars aansprakelijk worden gesteld voor alle kosten die voortvloeien uit eventuele erfelijke aandoeningen. En deze (dierenarts)kosten kunnen hoog oplopen! Het verdient daarom aanbeveling vooraf contact op te nemen met de ras-

vereniging als u een nestje golden retrievers wilt fokken.

Loopsheid

Teefjes worden geslachtsrijp als ze acht tot twaalf maanden oud zijn. Dan worden ze voor de eerste keer loops. De loopsheid duurt twee tot drie weken. In deze periode verliest de teef kleine druppeltjes bloed en is ze heel aantrekkelijk voor reuen. De teef is vruchtbaar tijdens de tweede helft van de loopsheid. Dan laat ze de mannetjes toe. Het beste tijdstip voor een dekking ligt dan ook tussen de negende en dertiende dag van de loopsheid.

De eerste loopsheid is vaak wat korter en minder hevig dan de daaropvolgende. Als u uw teef wilt laten dekken, moet u in elk geval deze eerste (en soms ook de tweede) loopsheid overslaan. De meeste teven zijn twee keer per jaar loops.

Wanneer u wellicht ooit nog met uw golden retriever wilt fokken, is sterilisatie geen optie om ongewenst nageslacht te voorkomen. Als tijdelijke oplossing is er de prikpil. Die is echter omstreden in verband met bijwerkingen zoals baarmoederontsteking.

Schijndracht

Schijndracht is geen zeldzaam verschijnsel. De teef gedraagt zich alsof ze een nestje heeft. Ze sleept allerlei dingen naar haar mand en behandelt die als puppy's. Haar melkklieren zwellen op en er kan zelfs sprake zijn van melkproduktie. Soms vertoont de teef agressief gedrag tegenover

mensen of andere dieren, alsof ze haar pups moet verdedigen.

Schijndracht begint meestal twee maanden na de loopsheid en kan een aantal weken duren. Wanneer schijndracht bij een teef één keer is voorgekomen, keert het daarna vaak na iedere loopsheid terug. Als ze er veel last van heeft, is sterilisatie de beste oplossing. Een steeds terugkerende schijndracht vergroot namelijk de kans op aandoeningen aan de melkklieren of de baarmoeder.

Voor de korte termijn kan een hormoonbehandeling een oplossing zijn, evenals het toedienen van homeopathische middelen. Als de melkklieren hevig zijn opgezwollen, kan deppen met kamferspiritus verlichting geven. Ook het inwrijven van de melkklieren met ijsblokjes of een koude doek (nat maken en laten bevriezen) helpt goed tegen de pijn. Geef de teef minder te eten dan normaal en zorg ervoor dat ze voldoende afleiding en extra beweging krijgt.

Voorbereiding
Wanneer u een nestje pups wilt fokken, moet u met dekken wachten tot uw teef lichamelijk en geestelijk volgroeid is. Zoals gezegd moet in elk geval de eerste loopsheid worden overgeslagen. Voor het dekken van een teefje is een reu nodig. U kunt het loopse vrouwtje gewoon even op straat

loslaten. Ze zal dan binnen de kortste keren drachtig zijn. Wanneer u een raszuivere golden retriever heeft, is het natuurlijk zonde om haar door de eerste de beste kandidaat te laten dekken. Zelfs al heeft ze geen stamboom. In zo'n geval kunt u beter zorgvuldig te werk gaan. Houd vooral rekening met het volgende: het begeleiden van een teef gedurende de dracht, de bevalling en de eerste acht tot twaalf weken daarna is een tijdrovende bezigheid. Fok in geen geval met golden retrievers die erfelijke afwijkingen hebben, ook al gaat het om honden zonder papieren. Dit geldt ook voor hyperactieve, nerveuze en schuwe honden. Heeft uw golden retriever wel een stamboom, laat haar dan dekken door een reu die ook een stamboom heeft. Voor meer informatie hierover kunt u contact opnemen met de rasvereniging.

Dracht
Wanneer een teefje drachtig is, is dat in het begin vaak moeilijk vast te stellen. Pas na ongeveer vier weken zijn de pups in haar buik te voelen. Vanaf dat moment wordt de teef geleidelijk dikker. Meestal verandert ook haar gedrag. Tijdens de laatste weken van de dracht zwellen haar tepels op.

Een gemiddelde dracht duurt 63 dagen en kost veel energie. In het begin krijgt de teef nog haar normale voeding. De voedingsbehoefte neemt in de tweede helft

Vanaf 24 dagen na de dekking kan de dierenarts vaststellen of de teef drachtig is.

van de dracht met sprongen toe. Geef de teef vanaf de vijfde week elke week ongeveer vijftien procent meer voeding. De aanstaande moeder heeft in deze fase van de dracht behoefte aan extra energie en eiwitten. Tijdens de laatste weken kunt u haar een geconcentreerde, energierijke voeding geven (bijvoorbeeld puppybrokjes). Verdeel die over meerdere 'maaltijdjes' per dag, want de teef kan grote porties niet meer goed op. Aan het eind van de dracht kan haar energiebehoefte wel anderhalf keer zo groot zijn als normaal.

Na ongeveer zeven weken gaat de teef nestgedrag vertonen: ze zoekt een plek om haar jongen ter wereld te brengen. Dat kan haar eigen mand zijn, maar ook een speciale werpkist. Die moet wel minstens een week voor de bevalling klaarstaan, zodat de teef er goed aan kan wennen. Mand of kist moeten bij voorkeur op een rustig plekje staan.

Geboorte
Bij een gemiddelde worp komen drie tot negen pups ter wereld. De geboorte verloopt in de meeste gevallen zonder problemen. Bij twijfel moet u natuurlijk altijd contact opnemen met uw dierenarts!

Zogen en spenen
Na de bevalling komt de melkproduktie van de teef op gang. De zoogperiode stelt hoge eisen. Tijdens de eerste drie tot vier weken zijn de pups volledig afhankelijk van de moedermelk.

In deze periode heeft de teef behoefte aan extra voeding en vocht. Dit kan oplopen tot wel drie à vier keer zoveel als normaal. Wanneer ze te weinig melk geeft, kunt u moeder en kinderen bijvoeren met speciale puppymelk.

De grote hoeveelheid voedsel die de moederhond nodig heeft, kunt u ook nu het best in kleinere porties verdelen. Kies weer een geconcentreerde, energierijke voeding. Geef haar volop vers drinkwater, maar liever geen koemelk. Die kan diarree veroorzaken.

U kunt de pups bijvoeren met vast voedsel als ze ongeveer drie à vier weken oud zijn. Er zijn speciale puppyvoedingen verkrijgbaar, die goed aansluiten op de moedermelk en gemakkelijk te eten zijn met het melkgebit.

Idealiter zijn de pups op een leeftijd van zes à zeven weken *gespeend*. Dat wil zeggen dat ze niet meer bij hun moeder drinken. De melkproduktie van de teef stopt dan ook geleidelijk en haar voedingsbehoefte vermindert eveneens. Een paar weken na het spenen moet de moederhond weer dezelfde hoeveelheid voedsel krijgen als vóór de dracht.

Castratie en sterilisatie
Als u zeker weet dat u van uw teef nooit (meer) een nestje wilt, is vasectomie ofwel sterilisatie

de beste oplossing. Sterilisatie (in feite gewoon een castratie) is een operatie waarbij de eierstokken en vaak ook de baarmoeder worden verwijderd. De teef wordt dan niet meer loops en kan niet meer drachtig worden. De beste leeftijd voor een sterilisatie is ongeveer anderhalf jaar. De teef is dan min of meer volgroeid.

Een reu wordt meestal alleen gecastreerd om medische redenen of om ongewenst seksueel gedrag te beperken. Bij een castratie worden de testikels verwijderd. Het is een eenvoudige ingreep, die meestal probleemloos verloopt. Voor castratie bestaat geen vaste leeftijd. Zo mogelijk moet ermee gewacht worden tot de reu volwassen is. Gaat het er alleen om de reu onvruchtbaar te maken, dan is vasectomie voldoende. In dat geval behoudt de reu wel zijn geslachtsdrift, maar kan zich niet meer voortplanten.

Serieuze plannen?
Wanneer u serieus overweegt om een nestje pups te gaan fokken met uw hond heeft, u niet genoeg aan de beknopte informatie uit dit hoofdstuk. Meer over het onderwerp voortplanting leest u in het Over Dieren-boek *Hoera, we hebben een nest pups!* Dierenarts Paul Overgaauw behandelt hierin alles rond het fokken van puppy's en hun verzorging in de eerste acht levensweken. ISBN 90-5821-022-7

Sport en show

Zoals gezegd is de golden retriever een hond die graag actief bezig is. Hij vindt het vooral erg leuk om samen met zijn baas iets te ondernemen.

Wanneer u geregeld met uw golden aan activiteiten deelneemt, zult u niet alleen merken dat de band tussen u beiden hechter wordt, maar ook dat uw hond in huis rustiger is en beter gehoorzaamt. In dit hoofdstuk vindt u een beknopt overzicht van de diverse mogelijkheden. Voor meer informatie kunt u terecht bij de rasvereniging.

Behendigheid
Behendigheid is een tak van hondensport waarbij de hond onder begeleiding van zijn baas een bepaald parcours moet afleggen. Onderweg moeten verschillende hindernissen worden genomen. Het is de kunst om dit zo snel mogelijk en met zo min mogelijk strafpunten te doen. Behendigheidswedstrijden worden door veel plaatselijke kynologen-clubs georganiseerd.

Flyball
Ook flyball is een vorm van sport. De hond moet eerst over vier hekjes springen en vervolgens met zijn poot op een plankje drukken. Door deze handeling wordt een bal 'gelanceerd'. De hond moet de bal zo snel mogelijk bij zijn baas brengen. Ook hier wint de hond met de snelste tijd.

Gedrag en Gehoorzaamheid
U kunt kiezen uit een heel scala aan gehoorzaamheidstrainingen, beginnend bij een puppycursus. Golden retrievers beleven over het algemeen veel plezier aan dit soort trainingen: door hun sterke *will to please* willen ze graag de oefeningen zo goed mogelijk

uitvoeren. Na de elementaire gehoorzaamheidscursussen kunt u met uw hond verder trainen voor de diploma's Gedrag en Gehoorzaamheid (G&G).

Uithoudingsproef

Honden die eenmaal geleerd hebben naast de fiets mee te lopen, doen dit vaak met veel plezier. Het is bovendien ook goed voor hun spierontwikkeling: het lichaam beweegt mooi gelijkmatig. Zo worden de spieren sterker, zonder dat de kwetsbare gewrichten overmatig worden belast. U moet uw golden retriever echter niet naast de fiets laten lopen vóór hij een jaar oud is. Te vroeg beginnen is namelijk schadelijk voor de ontwikkeling van zijn botten. Bouw de afstand langzaam op. Ga niet fietsen als het te warm is, geef uw hond vlak voor een fietstocht geen eten en ga niet te lang door. Gevorderde golden retrievers kunnen deelnemen aan het examen Uithoudingsvermogen (UV). Hiervoor moet de hond naast de fiets een afstand van twintig kilometer afleggen, in een tempo tussen de twaalf en vijftien kilometer per uur.

Flyball

Verkeerszekerheid

Bijzonder nuttig is de cursus Verkeerszekere hond (VZH). Hier leert uw golden een aantal gehoorzaamheidsoefeningen en moet hij aan het eind van de cursus laten zien dat hij zich goed en zeker weet te gedragen in het verkeer.

Reddingswerk

Een golden retriever is heel geschikt om als reddingshond te dienen. Daarvoor heeft hij echter wel een gedegen opleiding nodig. In Nederland en België zijn er groepjes hondenliefhebbers die als hobby met hun hond aan reddingswerk doen. Ze volgen daar speciale cursussen voor en worden soms zelfs ingezet bij rampen. De rasvereniging kan u hierover nader informeren.

Jacht

De Koninklijke Nederlandse Jagersvereniging (KNJV) organiseert jaarlijks jachttrainingen die openstaan voor alle jachthonden. Een aantal trainers houdt zich uitsluitend bezig met het opleiden van golden retrievers. Ook hebben de rasverenigingen speciale jachtproevencommissies.

Show

Het bezoeken van een tentoonstelling en/of keuring is voor zowel hond als baas een leuke ervaring. Voor sommige liefhebbers is het een intensieve hobby: zij bezoeken talloze shows per jaar.

Anderen vinden het gewoon leuk om met hun hond eens een keuring te bezoeken. Zo'n keuring is trouwens voor iedereen de moeite waard: de keurmeester kijkt met ervaren ogen naar uw golden en beoordeelt hem op bouw, gangwerk, conditie en gedrag. Op grond van dit beoordelingsrapport leert u de sterke en zwakke punten van uw hond kennen. U kunt hier uw voordeel mee doen bij het uitzoeken van een eventuele partner voor de fok. Tijdens een show kunt u natuurlijk ook ervaringen uitwisselen met andere eigenaars van goldens. De officiële keuringen staan overigens alleen open voor honden met een stamboom.

Ringtraining

Wanneer u nog nooit met uw hond naar een keuring bent geweest, tast u waarschijnlijk in het duister over wat daar allemaal van u en uw hond wordt verwacht. Veel kynologenclubs organiseren zogeheten ringtrainingen voor honden die voor het eerst naar een keuring gaan. Tijdens zo'n training leert u wat de keurmeester precies van u verlangt en oefent u samen met uw hond.

Clubmatch

Vrijwel alle kynologenclubs en rasverenigingen, ook de NLV, organiseren clubmatches. U moet uw hond hiervoor van tevoren inschrijven in een bepaalde klasse. Deze, meestal kleinschalige, gezellige bijeenkomsten zijn vaak

Wilt u meer lezen over klassieke - of moderne hondensporten, flyball, behendigheid of apporteren lees dan een van de boeken uit de hondensportserie van Over Dieren.

voor baas en hond de eerste kennismaking met een keuring. Voor uw hond is dit een overweldigende gebeurtenis: een massa soortgenoten en een vreemde meneer of mevrouw die aan hem friemelt en hem in zijn bek wil kijken. Na een aantal keren weet uw hond echter precies wat er van hem wordt verwacht en zal hij graag naar zo'n clubmatch gaan.

Grote shows

Door het jaar heen vinden er diverse grotere shows plaats, waar verschillende prijzen te winnen zijn. Deze shows zijn veel strakker georganiseerd dan de

clubmatches. U moet ook bij deze evenementen uw hond van tevoren inschrijven in een bepaalde klasse, waarna hij wordt opgenomen in een catalogus. Op de dag zelf wordt de hond in een bench ondergebracht tot hij aan de beurt is. Tijdens de keuring in de ring is het van belang dat u uw hond zo goed mogelijk voorbrengt. De keurmeester geeft een officiële beoordeling en maakt een keurverslag. Wanneer alle honden uit een klasse aan de beurt zijn geweest, wordt de beste geselecteerd. Na afloop van de raskeuring kunt u uw keurverslag en eventuele prijs ophalen. De winnaars van de verschillende

klassen strijden vervolgens onderling om de titel B.O.B. Deze afkorting staat voor *Best Of Breed* (beste van het ras). Daarna wordt een winnaar gekozen uit de honden die tot dezelfde rasgroep behoren. De winnaars van de verschillende rasgroepen strijden ten slotte onderling om de titel *Best In Show.*

De hond moet er voor een show natuurlijk piekfijn uitzien. Een keurmeester stelt het niet op prijs als de vacht niet schoon of klitvrij is en de poten onder de modder zitten. De nagels moeten geknipt zijn en de tanden vrij van tand- steen. De hond moet ook vrij zijn van ongedierte en ziekten. Een teef mag niet loops zijn en een reu moet in het bezit zijn van beide testikels. Bovendien hebben keur- meesters een hekel aan slecht opgevoede, angstige of nerveuze honden. Wilt u meer weten over

tentoonstellingen of keuringen, dan kunt u contact opnemen met uw plaatselijke kynologenclub of met de rasvereniging.

Niet vergeten!
Wanneer u met uw hond naar een clubmatch of show gaat, moet u zich goed voorbereiden. De volgende zaken mag u zeker niet vergeten:

Voor uzelf:
• Inschrijfkaart
• Eten en drinken
• Veiligheidsspeld voor het catalogusnummer
• Stoeltjes

Voor de hond:
• Voer- en drinkbak eten
• Kleedje en eventueel een ligkussen
• Showlijntje
• Borstel
• In entingspapieren

Parasieten

Alle honden zijn vatbaar voor verschillende soorten parasieten. Parasieten zijn kleine diertjes die leven ten koste van een ander dier.

Ze voeden zich met bloed, huidschilfers en andere lichaamsstoffen. We onderscheiden twee hoofdsoorten. Inwendige parasieten leven in het lichaam van het gastdier (lintwormen en spoelwormen), uitwendige parasieten leven aan de buitenkant van het dier. Meestal in de vacht (vlooien en teken), maar ook wel in de oren (oormijt).

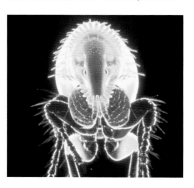

Vlo

Vlooien

Vlooien voeden zich met het bloed van de hond. Ze veroorzaken niet alleen jeuk en huidklachten, maar kunnen ook infecties (zoals lintworm) overdragen. In groten getale kunnen ze zelfs tot bloedarmoede leiden. Ook kan een hond allergisch zijn voor het speeksel van de vlo. Deze allergie kan een ernstige huidaandoening tot gevolg hebben. Het is daarom zaak vlooien zo goed mogelijk te bestrijden. Niet alleen op de hond zelf, maar ook in zijn omgeving. Voor de bestrijding op het dier bestaan diverse middelen: druppels voor in de nek en door het voer, vlooienbanden, lang werkende sprays en vlooienpoeders. Voor de vlooienbestrijding in de directe omgeving van de hond zijn verschillende sprays in de handel. Kies bij voorkeur een spray die zowel de volwassen vlooien als de larven doodt. Wanneer uw hond in de auto meegaat, moet u die ook sprayen.

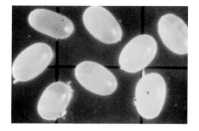

Eitjes van een vlo

Vlooien kunnen ook op andere huisdieren overgaan. Daarom moet u die eveneens behandelen. Bij het sprayen van de huiskamer moet u een eventueel aanwezig aquarium goed afdekken: als de spray op het water neerslaat, is dat dodelijk voor uw vissen!
Uw dierenarts en dierenspeciaalzaak hebben een groot assortiment vlooienbestrijdingsmiddelen.

Zij kunnen u uitgebreid adviseren over dit onderwerp.

Teken

Teken zijn kleine, spinachtige parasieten. Ze voeden zich met het bloed van het dier of de mens waarop ze zich bevinden. Een teek ziet eruit als een klein, grijskleurig, leren zakje met acht pootjes. Wanneer hij zich heeft

volgezogen, kan hij wel vijf tot tien keer zo groot worden en is hij donkerder van kleur.

Honden worden meestal het slachtoffer in struikgewas, bossen of lang gras. Teken veroorzaken niet alleen irritatie door het bloed zuigen, maar kunnen ook een aantal vervelende ziekten overbrengen. Dit geldt vooral voor teken in de landen rond de Middellandse Zee. Die kunnen besmet zijn met bloedparasieten. In Nederland komen deze ziekten gelukkig minder voor. De ziekte van Lyme, waarmee ook mensen besmet kunnen raken, is echter ook al in onze omgeving geconstateerd! Uw dierenarts kan een speciaal middel voorschrijven als u uw hond mee wilt nemen naar Zuid-Europa. Het is van belang teken zo goed mogelijk te bestrijden. Controleer uw hond regelmatig, zeker wanneer hij veel in bos en struikgewas rondloopt. U kunt hem ook een speciale antitekenband laten dragen.

Het verwijderen van een teek gaat eenvoudig met een tekentang of -pincet. Pak hiermee de teek dicht bij de huid vast en draai hem er voorzichtig uit. U kunt de teek ook tussen uw vingers pakken en vervolgens met een draaiende beweging uit de huid trekken. De plaats waar de teek zat moet u met jodium ontsmetten, om een ontsteking te voorkomen. Het is niet verstandig de teek vooraf te 'verdoven' met alcohol, ether of olie. In een schrikreactie zou de teek zijn besmette maaginhoud kunnen lozen in de huid van de hond.

Wormen

Honden kunnen last hebben van verschillende soorten wormen. De meest voorkomende zijn lintwormen en spoelwormen. Lintworm veroorzaakt diarree en een slechte conditie. Bij een lintworminfectie kunt u soms rond de anus van de hond en op zijn ligplaats kleine stukjes van de lintworm zien. In dat geval is ontworming beslist noodzakelijk. U moet de hond ook controleren op vlooien. Die brengen de lintworm namelijk over.

Spoelwormen zijn ook een regelmatig terugkerend verschijnsel. Pups worden al via de moedermelk besmet. Spoelwormen veroorzaken (vooral bij jonge honden) problemen zoals diarree, vermagering en stagnerende groei. In ernstige gevallen is de pup mager, maar heeft hij wel een opgezwollen buik. Het kan zelfs voorkomen dat hij de wormen uitbraakt: ze zien eruit als spaghettiachtige sliertjes. Een pup moet dan ook met enige regelmaat behandeld worden met een ontwormingsmiddel. Volwassen honden hebben minstens twee keer per jaar een behandeling nodig.

Teek

Spoelwormen

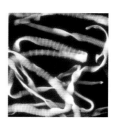

Lintwormen

Gezondheid en ziekte

De ruimte in dit boek is te beperkt om uitgebreid in te gaan op het medisch wel en wee van de golden retriever.

Wel wordt hier beknopte informatie gegeven over ziekten en afwijkingen die bij dit ras vaker voorkomen dan bij andere honden. De populariteit van de golden heeft zijn weerslag gehad op de kwaliteit van het ras. Omwille van geldelijk gewin is er veel gefokt met minder geschikte honden, waardoor er nogal wat lijnen zijn ontstaan die bijzonder gevoelig zijn voor erfelijke aandoeningen.

Botafwijkingen

Er bestaat een aantal botafwijkingen waar snelgroeiende, (middel)grote hondenrassen zoals de golden retriever gevoelig voor zijn:

Heupdysplasie (HD)

Veel middelgrote tot grote hondenrassen hebben last van HD. De golden retriever is daar een van.

Heupdysplasie is een afwijking van de heupgewrichten van de achterhand, waarbij de kom van het heupgewricht de kop van het bovenbeen onvoldoende omsluit. Hierdoor ontstaan ontstekingen en botwoekeringen die zeer pijnlijk zijn. Honden met een lichte vorm van HD lijken er soms nauwelijks last van te hebben. Heupdysplasie in optima forma kan echter zoveel pijn veroorzaken dat er niets anders rest dan de hond te laten inslapen. Tot voor kort ging men ervan uit dat HD vooral werd veroorzaakt door erfelijke factoren.

Uit recent onderzoek blijkt dat erfelijke factoren zeker een rol spelen als het gaat om de aanleg 'voor het krijgen van HD'. Externe factoren als de kwaliteit van de voeding en de mate van beweging blijken echter minstens zo belangrijk.

Beperk de kans op HD zoveel mogelijk door uw hond kant-en-klare voeding van een goed merk te geven. Voeg daar beslist geen supplementen aan toe! Let er ook goed op dat uw hond niet te dik wordt. In het eerste levensjaar moet een golden retrieverpup enigszins worden ontzien.
Laat hem niet te lang ravotten met andere honden of te wild achter stokken en ballen aanrennen.
Bij deze vormen van spel maakt de pup abrupte en onverantwoorde bewegingen, waardoor zijn kwetsbare gewrichten te zwaar worden belast. Een belangrijke, maar onderschatte oorzaak van HD is de vloer in uw huis. Parket of tegelvloeren zijn veel te glad voor een jonge hond. Het regelmatig uitglijden kan complicaties veroorzaken die HD bevorderen.

Als u een gladde vloer heeft, is het aan te raden dekens of oude vloerbedekking neer te leggen op plaatsen waar de hond regelmatig is. Leg hem ook vaak in de tuin: gras is een prettige ondergrond.

Elleboogdysplasie (ED)
Deze aandoening lijkt heel veel op heupdysplasie, maar dan in de voorhand. In het slechtste geval kan ED tot kreupelheid leiden. Een operatie is dan noodzakelijk en geeft meestal een goed resultaat. Er zijn tekenen die er op wijzen dat (onder andere) de soort voeding die een hond krijgt een rol speelt. De W.K. Hirschfeld Stichting onderzoekt deze aandoening binnen de gehele Nederlandse golden retrieverpopulatie. De maatregelen die u zelf kunt treffen om de kans op ED te verkleinen, zijn dezelfde als voor HD.

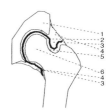

1. Heupbeen
2. Kraakbeen
3. Kapsel
4. Synoviaalvlies
5. Gewrichtsholte
6. Dijbeenkop

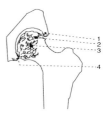

1. Randwoekering
2. Botopheldering
3. Botwoekering
4. Versmalde gewrichtsspleet

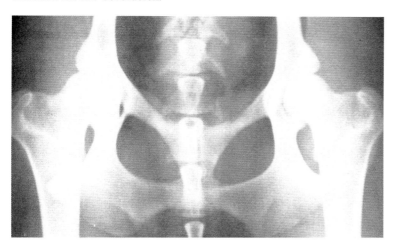

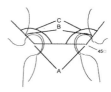

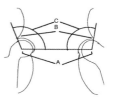

Osteochondrose (OC)

Deze aandoening wordt ook wel HD aan de schouder genoemd en lijkt, net als ED, evenmin los te staan van de voeding. Tussen de gewrichtsspleet van de schouder bevindt zich een los stukje kraakbeen. Omdat de hond voortdurend beweegt, veroorzaakt dit pijn. Hierdoor gaat de hond mank lopen. Osteochondrose openbaart zich meestal tussen de zeven en twaalf maanden en begint meestal met groeipijnen. De hond loopt in het beginstadium slechts af en toe mank, maar gaat dit steeds vaker doen. Uiteindelijk is een operatie noodzakelijk. Osteochondrose kan zich ook voordoen aan de ellebogen.

Oogaandoeningen

De golden retriever is helaas gevoelig voor een aantal oogafwijkingen. Het is dan ook noodzakelijk dat hij hierop wordt onderzocht, ook als u niet met hem wilt fokken. De meeste afwijkingen leiden uiteindelijk tot blindheid. Omdat het erfelijke aandoeningen betreft, moet u honderd procent zeker zijn van de conditie van de ouderdieren voordat u een pup aanschaft.

Progressieve retina-atrofie (PRA)

Deze oogaandoening wordt tot nu toe vaker aangetroffen bij Labrador retrievers dan bij goldens. In België is onderzoek naar PRA niet verplicht, maar dringt

de rasvereniging er wel op aan dat leden dit oogonderzoek laten uitvoeren voor ze met hun honden gaan fokken.

Binnen de Golden Retriever Club Nederland is het onderzoek verplicht. Fokkers die verantwoord te werk gaan, zullen de controle jaarlijks laten herhalen: wanneer PRA zich eenmaal in een bloedlijn bevindt, raakt men het moeilijk weer kwijt.

Progressieve retina-atrofie is een degeneratie van het netvlies en leidt onherroepelijk tot blindheid. In het beginstadium zal de hond overdag nog goed kunnen zien, totdat hij ongeveer vijf jaar oud is. Tussen zijn vijfde en negende levensjaar zal hij echter volledig blind worden. Er bestaan twee vormen van PRA: de centrale vorm (dagblindheid of tunnelblindheid) en de gegeneraliseerde vorm (nachtblindheid).

Cataract

Onderzoek naar cataract wordt gelijktijdig met het PRA-onderzoek uitgevoerd. Cataract (ofwel grauwe staar) veroorzaakt een vertroebeling van het netvlies. Deze aandoening kan al op jonge leeftijd voorkomen en kan door beide ouderdieren worden doorgegeven. Wanneer slechts een deel van het netvlies is aangetast, hoeft cataract niet tot volledige blindheid te leiden. Helaas gebeurt dat in de meeste gevallen wel.

Entropion en ectropion

Dit zijn erfelijke aandoeningen aan de oogleden. Bij entropion krullen de oogleden naar binnen, bij ectropion naar buiten. Doordat de ooghaartjes op de oogbol komen te liggen, ontstaat irritatie die tot rode, tranende ogen leidt. De ogen gaan ontsteken en etteren, waardoor op termijn ernstige schade aan het hoornvlies kan ontstaan. Dit kan uiteindelijk tot blindheid leiden. Deze afwijkingen kunnen operatief worden gecorrigeerd.

Medisch ABC

Wilt u meer weten over de gezondheid van uw hond, over Eerste Hulp Bij Ongelukken en wat u moet doen bij (beginnende) ziekten, adviseren wij u verder te lezen in het boek *Medisch ABC voor de hond,* ISBN 90-5821-005-7, eveneens verschenen in de Over Dieren-serie. Dit medische handboek gaat in op diverse aspecten van verzorging, gezondheid en ziekten van de hond. Het EHBO-gedeelte legt eenvoudig en duidelijk uit hoe u moet handelen bij grote en kleinere ongelukken en bij veelvoorkomende kwalen en aandoeningen.

Tips voor de golden retriever

- Zijn eerste autorit is voor een pup een hele belevenis. Maak het een aangename ervaring.
- Bezoek meerdere fokkers voordat u een pup koopt.
- Bestrijd niet alleen de vlooien, maar ook de larven.
- Zorg ervoor dat uw hond niet te dik wordt. Niet te veel eten en voldoende (verstandige) beweging is de stelregel.
- Harde brokken en voldoende kauwmateriaal zorgen voor een gezond gebit.
- Koop een pup niet als u de moeder niet mag zien!
- Vachtverzorging is erg belangrijk voor de gezondheid van uw hond.
- Een golden retriever houdt van werken. Ga dus iets met hem ondernemen!

- Vraag altijd naar de papieren van de vader- en moederhond. De elleboog- en heupgewrichten moeten geröntgend zijn.
- Een golden retriever is van origine een jachthond: hij heeft dus een consequente opvoeding nodig!
- Neem contact op met de rasvereniging voor het adres van een betrouwbare fokker.
- Laat uw pup niet eindeloos achter een balletje of een stok aanrennen.
- Laat de pup het eerste halfjaar geen trappen lopen!
- Koop nooit hals over kop een golden retriever!
- Voeg geen supplementen toe aan kant-en klare voeding.

De golden retriever op het internet

Er is een enorm aanbod van websites en homepages over de golden retriever op het internet. Sites uit de hele wereld, waaronder de Verenigde Staten en Engeland, heeft u onder handbereik. Het is niet moeilijk om sites op internet te vinden. Bij een zoekmachine typt u eenvoudig 'golden retriever' in en u krijgt een lijst met sites waaruit u kunt kiezen welke u wilt bezoeken. Geeft u bij uw keuze aan dat u alleen Nederlandstalige sites wil zien dan beperkt de lijst zich hiertoe. Geeft u geen specifieke taal aan dan krijgt u een lijst met sites over de gehele wereld.

Het onderstaande overzicht bevat slechts enkele van deze sites. U vindt op deze pagina's vele interessante links naar andere pagina's met informatie of nieuws. Helaas verhuizen sites soms naar ander adressen en kunt u ze niet meer opvragen. Meestal kunt u ze toch vinden via links op andere pagina's.

Veel surfplezier!

Golden Retriever Club Nederland
www.goldenretrieverclub.nl
Officiële website van de Golden Retriever Club Nederland (GRCN). Op deze site is veel informatie te vinden over de Golden retriever, met links over de hele wereld.

Golden Retriever Club België
www.grcb.be
De Belgische rasvereniging geeft op deze site veel informatie over het houden en trainen van de golden retriever. Ook veel interessante links.

Golden Retriever Fangroep
http://communities.msn.nl/degolden-retrieverfangroep
Een heuse fanclub voor mensen die helemaal weg zijn van golden retrievers. Met veel verhalen en foto's.

www.isselhoeve.nl/grooming/indexnl.htm
Een handige site met informatie over het trimmen van de golden retriever. Met een stap voor stap handleiding. Zeer uitgebreid en een echte aanrader.

www.k9data.com/
Een database met golden retriever pedigrees (stambomen). Een site in het Engels, maar voor liefhebbers en fokkers erg interessant.

www.goldenretriever.pagina.nl
Een van de dochtersites van startpagina.nl met heel erg veel sites en homepages over de golden retriever.

Kennel Club
www.kennelclub.nl
Officiële website van de Raad van Beheer op Kynologisch Gebied in Nederland. Een federatie van verenigingen waarvan lid zijn de Nederlandse rasverenigingen, regionale verenigingen en enkele verenigingen met een gespecialiseerde doelstelling.

Belgian Retriever Club
www.retriever.be
Officiële drietalige website van de Belgian Retriever Club. Een nationale club die zich inzet voor de promotie van alle retrieverrassen op gebied van schoonheid en werk.

Mypetstop.com
www.mypetstop.nl
Een internationale meertalige website met informatie over verzorging, fokkerij, gedrag, gezondheidsproblemen en contacten met fokkers.

Waltham
www.waltham.com
Waltham is een onderzoekscentrum die gespecialiseerd is in dierenzorg. U kunt op deze site informatie vinden over alle aspecten van verzorging, training en voeding.

Over Dieren
www.overdieren.nl
De uitgeverij van het grootste dierentijdschrift in Nederland, Over Dieren. Daarnaast is er een uitgebreide serie informatieve huisdieren boeken. Kortom, de informatiebron voor dierenliefhebbers.

Ras-verenigingen

Het is zinvol om lid te zijn van een rasvereniging. Zij staat u bij met raad en daad en organiseert allerlei leuke activiteiten.

Zowel in Nederland als in België houden de rasverenigingen zich bezig met het begeleiden van de fok, het verstrekken van pupinfo en pupbemiddeling, herplaatsing van volwassen honden, het organiseren van diverse evenementen en activiteiten en het geven van advies aan hun leden (en vaak ook aan niet-leden!). Overweegt u serieus een golden retriever aan te schaffen of heeft u al een golden en wilt u daarmee activiteiten ondernemen of een cursus volgen, dan zullen de verenigingen u graag van de nodige informatie voorzien.

Golden Retriever Club Nederland

De Golden Retriever Club Nederland (GRCN) is opgericht in 1956. Zij is erkend door de Raad van Beheer op Kynologisch Gebied in Nederland en behartigt de belangen van het ras golden retriever. De GRCN streeft er naar de golden retriever in Nederland zowel lichamelijk als geestelijk op het gewenste peil te houden en verwacht van haar leden dat zij dit doel onderschrijven.

Activiteiten

De GRCN organiseert jaarlijks een aantal evenementen zoals: een kampioenschapsmatch (beoordeling op uiterlijk en karakter), fokdagen (beoordeling v. uiterlijk en karakter van volledige nesten en van fokdieren), wandelingen, een golden basis opleiding en regio-activiteiten. Daarnaast geeft de vereniging zes maal per jaar een clubblad uit *Het Golden nieuws*. Meer informatie op: http://golden-retrieverclub.nl

Secretariaat:
M.M.G. te Riele-Telling
Lijster 6
1713 SH Obdam
tel. 0226-450605
(bereikbaar ma - vr 18.00-22.00 uur)

Pupinfo
Mevr. R. Kleijnen 0165-396319
werkdagen van 15.00-22.00 uur

Mevr. T. Vlaanderen 0299-476093
alle dagen behalve tussen
16.00-18.00 uur

Golden Retriever Club België
Het doel van de GRCB is de
banden tussen golden retrieverei-
genaars aan te halen en de liefhebbers van de verschillende dis-
ciplines in de hondensport te helpen en te begeleiden bij het uitoe-
fenen van hun hobby. Leden die
graag een nestje willen fokken
helpen met raad en daad. Nieuwe
puppyeigenaars begeleiden bij de

opvoeding en eventueel de
africhting van hun golden tenein-
de de mooie, goed opgevoede
en/of afgerichte golden te promo-
ten als ideale hulp van de jager
en aangename huisgenoot, lief
met baas en kinderen.

Secretariaat:
Nathalie Hermans
Kievit 61
2980 Zoersel
e-mail: nathalie.hermans@
pandora.be
http://www.grcb.be

Belgian Retriever Club
Secretariaat:
Chantal Goreux
Rue des Combattants Français 16
7181 Feluy
tel./fax: 067.87.97.52
e-mail:goreux.chantal@skynet.be
http://www.retriever.be/

Will to please
(Trainingsschool voor retrievers)
Secretariaat:
Eric van Ryckeghem
Abdijhoek 2
8210 Zedelgem
België
tel./fax: 050.38.43.18

De golden retriever

FCI-classificatie:	Apporteerhonden/ opstoothonden/water- honden (groep VIII)
Sectie 1:	apporteerhonden (retrievers)
Eerste standaard:	1909 (Engeland)
Oprichting Nederlandse rasvereniging:	10 maart 1956
Herkomst:	Schotland
Oorspronkelijke taak:	Jachthond
Schofthoogte:	reu: 56-61 cm
	teef: 51-56 cm
Gewicht:	reu: 30-35 kg
	teef: 27-32 kg
Levensverwachting:	8-10 jaar

de **Golden** retriever